PARLER LOIN
PAPIERS D'ÉCOLIER 1
de Philippe Haeck
est le quatre cent unième ouvrage
publié chez
VLB ÉDITEUR
et le premier de la collection
«Essais critiques».

du même auteur

Essais

L'ACTION RESTREINTE. DE LA LITTÉRATURE (1975)
NAISSANCES. DE L'ÉCRITURE QUÉBÉCOISE (1979)
LA TABLE D'ÉCRITURE. POÉTHIQUE ET MODERNITÉ
(1984)
PRÉPARATIFS D'ÉCRITURE. PAPIERS D'ÉCOLIER 2 (1991)

Poèmes

NATTES (1974)
TOUT VA BIEN (1975)
LES DENTS VOLENT (1976)
POLYPHONIE. ROMAN D'APPRENTISSAGE (1978, 1979)
LA PAROLE VERTE (1981)
L'ATELIER DU MATIN (1987)

Philippe Haeck

Parler loin
Papiers d'écolier 1
essais

ssais
ritiques

vlb éditeur

VLB ÉDITEUR
1000, rue Amherst, bureau 102
Montréal (Québec)
H2L 3K5
Tél.: (514) 523-1182
Téléc.: (514) 282-7530

Maquette de la couverture:
Katherine Sapon

Illustration de la couverture:
Papier fait main par Anne Huet

Distribution:
AGENCE DE DISTRIBUTION POPULAIRE
955, rue Amherst
Montréal, (Qué.)
H2L 3K4
Tél.: à Montréal: 523-1182
        de l'extérieur: 1-800-361-4806

Dépôt légal — 4e trimestre 1991
Bibliothèque nationale du Québec
ISBN 2-89005-456-X

À qui aime la nudité du vivant, à Yannick et Catherine comme un testament, à Pâque avec qui j'ai longtemps parlé ce livre.

Quand il tente de raconter des bribes de sa vie, Samuel Beckett a cette petite phrase dans Comment c'est: *«tiédeur de boue originelle noir impénétrable». Pourtant ce noir de l'origine il faut tenter de l'éclaircir, notre bonheur en dépend. À l'origine il n'y a pas toujours que du noir, il arrive aussi qu'il y ait beaucoup de blanc, mais ce blanc parfois est tout aussi opaque. «I began by asking them, each in turn, to tell their names and something about family background, and when and how they had first begun to write poetry [...] launched into autobiography, it was hard to stop them — and they listened eagerly, as if hungry for such information about each other (Denise Levertov,* The Poet in the World).»

Je ne pense pas avoir raconté ma vie, j'ai tenté d'en saisir quelques articulations en dialoguant avec d'autres, en risquant ma peau, celle de mes proches — comment me dire sans les dire à travers moi. «Les enfances des nôtres sont dans un grand mystère. Ce qui explique se cache (Jean Guitton, Une mère dans sa vallée)»; *j'ai tenté pour mes enfants et pour moi de tracer quelques esquisses de ce qui m'anime.*

1

Il fait froid. Je ne suis pas né. Le maquignon Gagnon, mon arrière-grand-père, revient chez lui en traîneau; il a son flasque d'alcool pour lutter contre l'hiver. Il a joué aux cartes au village, couru après un jupon, conclu quelques marchés. Les chevaux connaissent bien le chemin de la maison; derrière la grande maison de campagne de Saint-Éloi le traîneau s'immobilise, le maître ne descend pas: il est mort, gelé. Sa femme, Victoria Morin, qu'il avait mariée alors qu'elle n'avait que quatorze ans, disait qu'elle avait vieilli trop vite avec tous les enfants qui venaient — elle aurait aimé avoir plus de temps pour aller glisser avec eux, pour jouer du piano.

«Appelez-moi Omer», dit mon grand-père à tout le monde. Dans toute sa vie il n'a manqué qu'une journée de travail, travaux aux longues heures dans les chantiers, au port, dans un clos de bois, à l'Hydro-Québec. Il aime les chevaux, les cartes, la bière, les enfants. Adrienne Dumas et Omer Gagnon savent raconter, y prennent plaisir: la magie des contes devait transformer le quotidien où il y avait peu de surprises — qu'arrivait-il à Ti-Jean et à ses trois chiens. Omer, s'il a de la difficulté à écrire son nom, connaît des histoires salées qu'il a remontées du Bas-du-Fleuve; on voit dans ses yeux que les femmes sont aussi belles que des chevaux, qu'elles fouettent comme la mer. En partant avec sa jeune femme à Montréal en 1922 pour aller gagner sa vie, il laisse toutes ses économies, deux mille dollars, à sa mère: elle les lui demande pour sauver la terre où elle demeure avec l'aîné. Il n'en verra plus jamais la couleur, ils n'auront jamais de maison à eux; leur maison ce sera huit enfants: Cécile, Marie-Paule, Guy, Françoise, Hermine, Bérangère, Hubert, France. Omer dit: «Bien manger, bien dormir, je n'en demande pas plus.» Il aime Maurice Duplessis qui n'oublie jamais les gens de la campagne et n'aime pas les syndicats qui empêchent de travailler.

Il fait chaud. Je ne suis pas né. Le jardinier Victor Haeck, né à Koolskamp, petit village flamand, en 1875, arrivé au Canada en 1906 avec deux de ses frères qui mettront plus de temps à s'enquébécoiser, vient de se faire casser la jambe par la ruade d'un bœuf. C'est l'homme du jardin parfait, un grand homme plié dans son cœur, les graines et les fleurs n'ont pas de secret pour lui. Il dit le soir: «je m'en vas aux petites vues», chacun sait qu'il va marcher jusqu'au bout de la terre pour planifier l'ouvrage du lendemain des hommes engagés: ils sont parfois jusqu'à vingt-cinq et la terre louée a cinquante arpents. Le dimanche, il marche une heure et demie de Côte-de-Liesse à l'église Saint-Alphonse de Youville; dans la chambre il y a deux prie-Dieu. Sa femme, Amanda Nadon, qui n'était pas assez forte pour faire une religieuse — la communauté lui a donné son congé pour raisons de santé —, a pourtant accouché douze fois; il y a eu sept survivants: Camille, Gérard, Joseph, Lucien, Bernard, Cécile, Thérèse. Mon grand-père avait quarante ans le jour de son mariage, dix de plus que sa compagne. Je suis tout le portrait de mon grand-père, voilà ce que je me dis parfois, arpentant ma bibliothèque lentement, déplaçant, classant les livres pour les travaux à venir. Non attaché à l'argent, n'aimant pas les agents d'assurances, il laisse à sa femme le soin de gérer les revenus. Il ne sort pas, il n'a été qu'une fois dans le centre-ville, il ne sortait de son jardin que le dimanche pour aller à l'église; grand marcheur il n'a appris à conduire qu'à soixante-douze ans. Un jour qu'il doit aller coucher chez un cousin qui demeure loin, ma grand-mère lui donne vingt dollars pour ses dépenses, il les donne à la quête le dimanche: la paroisse était pauvre, dit-il.

Je nais le 27 décembre 1946 à Montréal. Naissance difficile pour ma mère que mon père trouve baignant dans son sang à l'hôpital — une belle boucherie, le gynécologue était sans doute absent. Elle a mis un mois avant de marcher: mon père décide d'utiliser la méthode Ogino pour espacer les enfants. Je suis le premier enfant de Cécile Gagnon, née en 1923, et de Lucien Haeck, né en 1922, mariés le jour où les Américains lancent sur Hiroshima la première bombe atomique; ils ont trois autres enfants: Louis en 1951, Lucie en 1956, Hélène en 1964. On habite pendant deux ans la grande maison de Côte-de-Liesse; il y a entre quinze et trente personnes selon les saisons: parents, enfants, petits-enfants, servante, hommes engagés de mai à septembre. Je suis assis à côté de la maison sur une couverture, j'ai une grosse tête, mon grand-père: «Espérons qu'il y aura quelque chose dedans.» Joseph, en montant à sa chambre, entre toujours dans celle de mes parents pour me voir. Mon père revient des champs, beau de la terre qui lui colle à la peau, il me soulève comme les joueurs de hockey la coupe Stanley à la fin de la saison. Je colorie dans un cahier la tête d'un enfant, mon grand-père: «Tu dépasses», moi: «Non, il frise.» Puis mes parents s'installent à Sainte-Dorothée sur une terre achetée par mon grand-père toujours mal-

heureux quand les enfants partent — il rêvait de les
garder près de lui même mariés. À Sainte-Dorothée
un soir d'hiver on sonne à la porte: un homme pré-
vient mon père que la cheminée est en feu. Par une
nuit d'hiver on sonne à la porte: un homme à moitié
endormi explique que son camion-citerne a versé
dans le fossé, il s'effondre dans la chaise berçante —
ses grands ongles vont laisser des marques dans le
vernis; dehors les voisins sont arrivés avec des bi-
dons pour récolter l'essence sur la neige mauve. Une
journée d'été j'affirme au voisin Charles que mon
père est meilleur que lui: notre tracteur n'a pas besoin d'essence mais d'eau. Il pleut abondamment, je
suis dans les bras de mon père debout, tranquille à
regarder la pluie qui nourrit la terre, je vois avec surprise des souris qui se faufilent dans le mur du ga-
rage. Un jour je me rends chez les voisins qui ont
beaucoup d'enfants, Louis n'est pas encore né, c'est
ma première fugue; il n'y en aura qu'une autre: je
sortirai de la cour de ma grand-mère Gagnon sans la
prévenir, on me trouvera, après avoir cherché dans
tout le quartier, dans la cour d'en face à jouer tranquillement. Pendant cinq ans je suis un enfant unique, souriant, solitaire, un enfant gâté, gardé par la
grand-mère Adrienne pendant que papa maman sont
au marché pour vendre les produits de la terre; elle
défendait à ses filles quand j'étais bébé de me
prendre dans leurs bras, il fallait me mettre sur un
oreiller pour ne pas me casser les reins. Mes jeunes
tantes me comblent de cadeaux. Un petit garçon
blond se promène sur un tricylce ou avec une petite
voiture, veut garder chiens et chats qui viennent à la
maison, ramasse des feuilles, joue avec un gros camion sous un sapin de Noël, descend avec sa grand-
mère dans la cave où se trouvent les gâteaux et les
sucreries des fêtes, colorie, barbouille avec applica-

tion en disant «j'écris». On m'appelle le gros Bill, titre d'une chanson populaire sur le joueur de hockey Jean Béliveau, j'aime la musique, j'aime chanter.

À cinq ans le monde change. Il n'y aura plus de campagne, de terre, de journées à suivre papa, il y aura désormais la ville, un balcon ou une cour, des journées à écouter la maîtresse d'école. La première était une femme sèche dont j'avais peur: un coup de baguette sur les doigts si les lettres n'étaient pas bien formées; quand elle approchait de mon bureau je ne savais jamais si mes lettres étaient assez parfaites. La deuxième était bonne, une grand-maman qui donne des sourires et des bonbons. Après il n'y aura que des hommes jusqu'à la troisième année d'école normale: de sept à dix-huit ans. J'étais un élève docile, appliqué, souvent premier de classe — je n'étais pas plus intelligent, je répétais mieux les leçons du maître; ma mère était contente de voir mon nom dans le bulletin paroissial, de me voir arriver avec médailles et prix. La ville m'a dérangé: je n'aimais pas le bruit, je ne voulais pas aller jouer avec les autres enfants, «des gamins qui lancent des pierres»; à la place d'un champ, il y avait une petite ruelle. Mon père avait dû laisser la terre de Sainte-Dorothée à un frère aîné sans emploi. À Montréal il est émondeur à l'Hydro-Québec; il n'a pas le vertige: combien de fois j'ai peur de le voir tomber dans le fleuve quand il m'amène le dimanche au port pour voir les navires de guerre, il s'amuse à marcher sur le bord du quai sans garde-fous, je me tiens loin, j'ai peur de le voir disparaître — il ne sait pas nager. Il se lève tôt, part en bicyclette avec sa boîte à lunch. Quand nous sommes malades, Louis et moi, il nous berce. Le soir pour nous endormir il nous lit des biographies, je me souviens de celle de Charles le Téméraire à cause d'une illustration: Charles est blessé à mort sur les bords d'un lac glacé (la témérité et la mort sont-elles liées). Si la nuit je vois un lion dans ma chambre, que des bébés se lamentent sous ma fenêtre, que des bruits dessinent des voleurs, papa se lève pour chasser le lion, changer les bébés en chats et les voleurs en persiennes qui claquent au vent. Quand je me penche au-dessus des lits de Catherine et de Yannick pour les embrasser afin qu'ils traversent sans crainte la nuit, je ne vois pas un tel geste chez mon père: il ne nous embrassait pas mais sa voix qui nous endormait était peut-être comme un baiser suspendu. Il aime Jeanne d'Arc, Napoléon, les révolutionnaires de 1789, les communards, les patriotes québécois et irlandais, Hitler, ses camps de travail et sa voix fulminante: il n'aime ni les Juifs ni les Anglais, il n'accepte pas les inégalités trop grandes entre les classes. À la maison il y a plein de livres sur l'histoire de France et de l'Église; à mon baptême il me donne les prénoms de Louis et de Philippe à cause des rois français qu'il aime. Un jour il décide que Haeck ne rimera plus avec sac mais avec sec, il trouve ça plus beau, il pense aussi que la langue française est plus belle que la langue anglaise. Le dimanche après avoir été à la messe il met des disques, il mêle les danseuses de french cancan avec des fanfares militaires, les discours d'Hitler avec des chansons d'Édith Piaf, il aime l'accordéon musette. Il affirme qu'il aime plus Dieu que les hommes; longtemps j'ai espéré trouver une statue de Jeanne d'Arc en bronze comme celle qu'il y avait sur mon bureau quand j'étais enfant, habillée en soldat avec un drapeau où était écrit «Jésus Marie Joseph», aujourd'hui je ne cherche plus, je sais que l'accident qui l'a brisée ne l'a pas détruite en moi: Jeanne d'Arc armée de sa grande épée et de ses prières d'enfant, ça me ressemble encore.

Du 9 août 1953 au 18 août 1959: *Le secret de l'émir*, *La couronne d'épines*, *L'ombre de Saïno*, *Pour sauver Leïla*. Les dessins de Pierre Forget pour ces quatre épisodes des *Aventures de Thierry de Royaumont* racontées par Jean Quimper sont un de mes secrets. Un secret ça ne se dit pas, un secret même dit reste secret. Chaque semaine je recevais *Bayard*, hebdomadaire français publié par la Bonne Presse; c'est dans cette revue pour jeunes que j'ai appris à vivre avec en moi le fier Thierry, le sage Galeran, l'espiègle Sylvain, le solide Gaucher, la sensible Leïla. Galeran et Sylvain avaient ma préférence: le premier pour sa piété, son intelligence, son humilité, le second pour sa gourmandise, ses mensonges, sa gaieté. Le Moyen Âge chrétien n'a pas cessé d'être pour moi un foyer de lumière avec ces cinq visages, une espèce de combat entre la générosité et l'escroquerie; le dessin de Pierre Forget m'émeut toujours, ses planches sont la plus belle trace de mon enfance: abbayes, châteaux, donjons, visages, je sais tout par cœur. On joue à la messe: je fais le prêtre, je donne la communion sous forme de biscuits soda — on communie souvent. Le jeune prêtre a un secret, il a menacé son frère avec un couteau: «Si tu parles...» Je ne me souviens plus du secret, seulement du coupe-papier, peut-être parce que Louis en octobre soixante-dix le tourne contre moi: il est dans l'armée canadienne, en cas de conflit il n'hésiterait pas à me passer à la baïonnette si je me trouvais de l'autre côté de la barricade. Le soir je fais ma prière à côté de mon lit; le matin je me lève tôt pour aller à la messe avant d'aller à l'école: l'enseignant donne des points scolaires pour l'assistance à la messe, qui se monnayent en congés de devoirs — j'ai encore en moi cette grande église Saint-Vincent-Ferrier dans la lumière grise du matin. À quinze ans quand j'ai dit à ma mère mon envie de devenir moine, elle a pleuré et je n'en ai plus parlé; à douze ans un prêtre de la paroisse m'avait parlé de la prêtrise: je ne voulais pas aller au collège classique, je n'aimais pas les robes noires et je n'ai jamais été enfant de chœur — les uniformes devaient me déplaire.

Qui va lentement se perd et j'aime me perdre. La neige tombe abondante et j'écarte son rideau pour apercevoir mon enfance, ma jeunesse, en sachant bien que ce «mon», ce «ma» sont vides puisque enfant et jeune nous ne nous possédons pas. Cet après-midi je vois ce jeune Italien anglophone, je le croisais sur la rue, il restait à trois ou quatre maisons de la nôtre, il était petit, riait souvent; un matin sa mère a crié: il ne bougeait plus, dans la porte du hangar son corps était pendu. Je n'ai rien à expliquer, quelqu'un a votre âge et met fin à sa vie et vous avez quinze ans: je n'ai rien dit mais sa corde frotte mon cou encore. Un jour, j'avais dix-huit ans, mon directeur spirituel me prédit qu'avec ce que je pense je vais me suicider; cela me fait plaisir même si ce geste de ma part me paraît impossible: un chrétien ne se suicide pas. Ce directeur d'âmes est un prêtre paradoxal: il occupe deux pièces dans un presbytère mais n'aime pas la vie de paroisse, il est aumônier et enseignant à l'École normale où j'étudie; quand il nous rencontre la première fois il fait son baratin avec humour et brillant, il sait faire rire. Choqué je vais le rencontrer, comment peut-on parler de Dieu si légèrement, quel contraste avec l'aumônier précédent, vieux prêtre plein de douceur. L'aumônier à la mode est un stratège, il me dit «on ne donne pas de perles aux cochons» et devient mon directeur spirituel; son bureau est plein de livres, il me fait lire Valéry, des romans policiers, m'initie à la musique classique, aux grands peintres. Je me confesse chaque mois mais peut-être est-ce un prétexte pour le rencontrer régulièrement: dans ma famille personne n'a sa culture littéraire. Je suis seul mais n'en souffre

pas. Dans la nuit il y a des rêves de femmes nues, je
sais depuis l'âge de douze ans que cela est normal,
que cela transforme le pénis en fontaine, que cela n'a
rien à voir avec le péché: notre médecin de famille, un
homme d'une quarantaine d'années, au teint basané,
à la voix chaleureuse, m'a appris cela, et quand mon
père un dimanche matin, j'ai dix ans, me dessine sur
un tableau le ventre d'une femme pour expliquer où
apparaissent et où sortent les bébés, j'ai hâte qu'il termine la leçon, cela ne m'intéresse pas. À seize ans je
suis misogyne comme beaucoup d'autres garçons, on
a quelques professeurs qui sont des maîtres en
misogynie; si je m'identifie facilement au discours rai-
sonnable de mon père avec qui j'aime discuter, je suis
mal à l'aise avec les éclats de rire ou les crises de
larmes de ma mère que je trouve déplacée, trop
voyante. Mon père s'emporte contre le monde, il explique comment il devrait être; ma mère n'est pas in-
téressée par le monde, ne tient pas de discours. Avec
ma raison je réduis la peau douce des filles à des pa-
quets d'atomes; les plaisanteries grivoises de mes
tantes et de mes oncles, je ne les comprends pas ou je
souris légèrement, je protège au-dedans de moi le visage de Leïla que j'avais vu la première fois à travers
le visage de Jeannette, une petite voisine que je ne re-
verrai jamais, elle devait avoir huit ou neuf ans.

Mes parents ont toujours été des locataires de lo-
gements sans beauté la plupart du temps. Notre première richesse était de n'avoir pas de dettes, la
deuxième la bibliothèque de mon père, la seule excen-
tricité, la troisième la religion. Nous avons tous fait
des études universitaires; les livres ne nous ont jamais
fait peur, c'était des objets privilégiés par lesquels
nous nous gagnions l'attention du père. À quinze ans,
entrant à l'École normale, j'ai commencé ma bibliothè-

que: il fallait acheter nos livres. Je couvrais tous mes livres avec de la toile noire ou jaune, chacun avait sa cote Dewey; j'aimais classer, les livres à l'adolescence ont remplacé les timbres que je collectionnais enfant. Chez nous il n'y avait pas de Père Noël et de sapin décoré, cela n'existait que chez ma grand-mère Adrienne, il y avait une petite crèche, les discours de mon père pour indiquer le chemin de la vertu: il s'agissait d'économiser, de ne pas gaspiller, il y avait tant d'enfants qui n'avaient même pas à manger, de penser que nous allions mourir, de ne pas perdre notre vie, de prier (mon père était choqué par le fou rire qui nous prenait parfois au milieu du chapelet en famille). Notre ton autoritaire, tranchant, sévère, vient de cet esprit d'économie enseigné par le père; nous sommes ses deux moitiés: Louis à droite, fidèle à l'ordre établi, à la loi, aux commandements, vite il a été enfant de chœur, scout, cadet de l'armée; moi à gauche, soucieux de vérité, grand lecteur, prêt à aller contre lois et coutumes si elles manquent de justesse, de justice.

Sur les bras de la galerie il y a un beau collet de neige brillante. Je suis dans la boîte vide du camion de l'oncle Camille — nous venons de monter les meubles dans le nouveau logement de mes parents — avec mon cousin Pierre, nous regardons le ciel rempli d'étoiles, petits points intenses dans la nuit: comment appartenons-nous à cet infini. J'ai quatre ans; pieds nus je marche sur l'herbe, l'herbe colle à mes pieds comme les étoiles à mes yeux, c'est peut-être ça qu'on appelle l'enfance. Dehors il neige à plein ciel, les flocons s'agitent comme dans cette petite boule de verre qu'il y avait chez ma grand-mère, on la secouait et la neige enveloppait la petite maison. Une œuvre d'art est-ce autre chose que cette maison enfermée dans une boule de verre, sur laquelle on peut faire tomber de la neige même s'il ne neige pas dehors. Le plus bel objet de mon enfance était un gros gland gigogne en bois foncé sur un bureau élevé de la chambre obscure de mes grands-parents, il y a des années que je ne l'ai vu, pourtant je vois un petit garçon: il ouvre les glands un à un, jusqu'au plus petit, quand il ouvre le plus petit il n'y a rien, alors il remet les deux moitiés ensemble et refait le gros gland porteur de ses copies. La beauté c'est aussi tous ces objets aux couleurs vives aperçus dans le village de Caughnawaga que nous traversions pour aller chez Camille — ma mère doit avoir du sang amérindien: les habits qu'elle nous faisait enfants avaient autant d'éclat, de motifs décoratifs.

Un petit garçon blond déterre une grosse roche, il travaille lentement, avec application, sitôt qu'il a fini de manger il retourne à son ouvrage, patient il creuse tout autour. Il se lave les mains plusieurs fois par jour, monté sur un petit escabeau. Si vous allez dans ma chambre ne dérangez rien, tout y a une place précise, éclairée par la petite lampe donnée par Françoise qui ne cesse de lui apporter crayons et feuilles de toutes couleurs. La plupart du temps il est seul, parle peu, obéit, ne réplique pas. Une fois il se couche sur le lit de papamaman après avoir vidé le fond des verres de vin des invités, d'autres fois il s'envole toujours plus haut sur la balançoire du parc Laurier, poussé par sa jeune tante France. Il aime jouer à la cachette dans la douceur du soir à la campagne chez Camille, choisir avec Louis les drapeaux qu'il préfère dans le dictionnaire, jouer au ballon dans l'herbe avec le cousin Jean-Guy, au hockey et au monopoly avec les voisins, aux cartes avec les grands.

Ce qui me surprend dans mon enfance, ce sont
toutes ces photographies où un petit garçon me regarde avec des yeux taquins, un rire retenu. Comment
penser alors qu'un enfant n'a pas d'identité, que c'est
une plaine où il est facile de planter Dieu, fleur bleue
qui rassure l'âme, donne des ailes à l'ange gardien,
que l'enfance et la jeunesse sont de longs moments où
vous ne vous appartenez pas, où le monde tasse en
vous, sans que vous l'ayez demandé, ses beautés et
ses déchets. Ces yeux taquins me disent qu'il n'y a
rien de sûr avec un enfant, qu'on ne sait pas ce qui va
arriver: Dieu peut devenir un cactus qui déroute
l'esprit, un pont, une grande machine qui peut lancer
l'auto de papamaman dans la rivière. Pourquoi à
l'adolescence ai-je commencé à faire rimer famille
avec famine. Ce qui m'intéresse dans l'enfance ce sont
mes enfants, les enfants du quartier que j'ai vus jouer
aujourd'hui dans la cour d'école; j'ai pensé à l'ani-
mation des toiles de Bruegel que les enfants ne
connaissent pas, les enfants jouent, ils sont à leurs
courses, leurs bavardages, leurs rires, leurs batailles,
ils ne savent rien du peintre flamand, pourtant c'est
ça, les enfants sur la cour ne sont pas une masse, une
foule, ils sont un grand ensemble mouvant limité par
la clôture et les murs, mouvant parce que bourré de
cellules d'un, deux, trois, quatre, cinq enfants, rarement plus, ayant chacune ses gestes, ses trajets. Que
plante-t-on dans le cœur de ces enfants. Dieu n'est
plus l'arbuste universel, c'est une plante ancienne et
rare, peut-être est-on en train d'y mettre un ordinateur capable de millions d'images, de musiques, de
textes. Si j'aime les enfants ce n'est pas à cause de
leurs bons mots ou de leurs répétitions parfaites, mais
plutôt par leur côté petit animal non pensant: ils me
reposent des adultes qui depuis bien longtemps ont
cessé d'être curieux, vifs, affichent les pensées mortes

de la télévision et de la presse. Cette innocence ani-
male me plaît, comme j'aimerais qu'elle soit encore là
quand ils seront des hommes, des femmes, pour défendre les couleurs de leur vie. Je veille à ce que mes
enfants ne soient pas écrasés par telle autorité, tel
pouvoir, j'aimerais qu'ils se fassent un jardin où nul
gendarme ne vienne les forcer à pousser de telle façon
et non d'une autre. Chaque nuit quand je m'endors, je
sais qu'avec moi il y a un petit garçon blond et un
homme âgé, des hommes qui regardent la terre, aiment les chevaux, parcourent des bibliothèques, des
femmes qui tissent la chaleur, animent la maison, font
des voyages. Je dors sur le couvre-pieds de mes parents et mes enfants sur le mien. Je sais quel feu lie
mes carrés d'air, de terre, d'eau. Mon jardin était commencé avant que je naisse, d'autres le transformeront
après ma vie — la vie est une tempête de neige pleine
d'apparitions.

2

Retour en amont. Écrire pour faire de la vie un récit, s'assurer de son orientement: passé et avenir éclairés par une étoile fixe, celle de la naissance, seul repère du passant que l'on est. Un jour qu'on a laissé le flou gagner, la mort est proche, au pied du mur, au milieu de la rue, partout. On croyait avoir des buts précis, une identité, on suivait son étoile. Puis l'étoile a laissé place à la nuit, au vertige, à une histoire sans nom — toutes les phrases conduisent à l'absence. Il a fallu pour retrouver l'étoile-source remonter le chemin qui mène à la chambre de l'adolescence, à la maison de l'enfance, à la lignée d'un sexe, à l'origine de l'espèce. Pendant quinze mois un homme a parlé couché dans sa tombe, devant un petit mur de briques rouges, usées. Cet homme était né à la campagne, et venu dans la grande ville à cinq ans avec ses parents et un nouveau-né.

Je suis né un 27 décembre, fête de l'évangéliste Jean, entre les fêtes de la naissance de Jésus-Soleil, du premier martyr Étienne et la commémoration du massacre d'enfants innocents par le roi Hérode. Cela fait partie de mon nom les longues nuits où l'on attend le soleil, les premiers versets de l'Évangile selon Jean: «D'abord il y avait le langage, et le langage était chez Dieu, et le langage était Dieu. Il était d'abord chez Dieu. C'est par lui que tout a existé et rien de ce qui existe n'a existé sans lui. C'est en lui qu'était la vie et la vie était la lumière des hommes. Et la lumière a brillé dans la nuit et la nuit ne l'a pas saisie (nouvelle traduction de Jean Grosjean).» La lumière que je trouve dans les livres-paroles n'illumine-t-elle pas pour moi la nuit du monde.

La psychanalyste Alice Miller: «[...] une vie dont on ne connaît pas l'enfance demeure incompréhensible (*La souffrance muette de l'enfant. L'expression du refoulement dans l'art et la politique*).» À qui peut-on raconter, enfant, voici ma mère qui bat mon père, voici mon père qui bat ma mère, à qui dire la peine toujours là de voir l'un battre l'autre alors qu'on aime les deux. À personne: on rentre dans sa chambre et on ne dit rien, le cœur est seulement un peu froid où le couteau de la peine est entré. Combien d'hommes, de femmes pourraient répéter ceci: «D'être aimé profondément, touché dans mon être intime, me fait tout à coup éprouver la peine très sourde de n'avoir pas été aimé, d'avoir été ignoré, repoussé, injurié, frappé par toi qui m'as mis au monde (Raymond Hétu, *Pour guérir du mal de mère*).» L'échec du dialogue entre hommes et femmes m'a fait longtemps souffrir parce qu'il ouvrait toujours la première blessure: maman et papa ne s'accordent pas, l'amour n'est pas accordé, on a perdu la partition de l'amour — «Je ne vous ai d'ailleurs jamais vus vous embrasser, vous approcher avec un plaisir complice dans le regard et des gestes tendres qui auraient exprimé votre attrait l'un pour l'autre.» À qui peut-on dire adulte: ma femme passe à côté de ma vie, je passe à côté de la vie de ma femme. À personne: on rentre dans son bureau et on continue à travailler. «Ce fut la résurgence de ma peur de toi qui a imposé une limite à mon désespoir, une peur physique d'être attaqué, blessé, tué par toi! Dans l'obscurité du sous-sol, je luttais contre des fantasmes effrayants. Je t'imaginais descendre un couteau à la main, l'œil hagard, profitant de mon sommeil pour me blesser à coups violents et répétés. Mes terreurs d'enfant refaisaient surface, se conjuguant tout à coup à ma réalité d'adolescent.» Raymond Hétu dans son récit d'enfance montre bien comment vite la casserole dont la mère s'est servie pour frapper le père sur la tête parce qu'il avait trop bu se transforme en couteau tourné contre lui; alors que le père après l'incident cherche à excuser sa femme, l'adolescent en est incapable parce qu'il veut se venger de cette femme qui l'a fait souffrir enfant et trouve son père lâche. Après vingt ans sans voir sa mère, il écrit: «Je commence à apprivoiser la perspective de te rencontrer, de te regarder en dehors de notre relation passée, avec ses souffrances et ses blessures. Suis-je enfin en voie de me libérer de ton emprise?» — dans un rêve sa mère lui a fait une confidence qui lui fait croire que «la bataille était enfin terminée», que sa mère «déposai[t] les armes»: «Jamais je ne supporterais d'être soumise à un homme, quelle que soit la situation!» Et le récit se termine sur de trop belles images: «En jetant un nouveau regard sur les photographies de mon enfance, je suis tout à coup ému par l'image de ce petit bonhomme joufflu et frêle, aux grands yeux naïfs et doux, assoiffés d'amour. La candeur et l'ouverture de son regard me touchent. J'aime pour la première fois ce petit bonhomme, malgré lui, malgré ses parents... Je voudrais pouvoir retourner dans le temps pour pouvoir le cajoler, le bichonner, rigoler avec lui, le nourrir d'amour pour qu'il fleurisse et découvre toutes ses richesses.» On ne retourne pas dans le temps et on ne cesse pas de battre la plupart des enfants; des photographies de beaux enfants qui n'en a pas: je regarde celles publiées dans le livre de Kurt Hofmann, *Entre-*

*tiens avec Thomas Bernhard. Je n'insulte vraiment per-
sonne*, et Bernhard dit: «Je pense qu'en elle-même la
vie n'a que des désavantages. Car tant qu'on est
jeune, c'est horrible, on est partout agressé, on n'a aucun répit, et en a-t-on un, qu'on vous coupe aussitôt la
main. Lorsqu'on est plus âgé on n'en retire rien, parce
que l'on examine encore davantage les choses et
qu'en plus de ça, on vieillit. Tout cela n'est pas très
agréable» ou «Personne ne vit agréablement avec lui-
même. Je vous le garantis, personne n'est bien dans sa
peau.»

«Darnley l'accueillit encore plus cordialement
que de coutume, et, en regardant bien en face les yeux
étrangement colorés de son ami, il éprouva ce sentiment de soulagement fréquent chez les hommes lorsqu'ils se retrouvent entre eux après les complications
de leurs rapports avec l'autre sexe (John Cowper Po-
wys, *Wolf Solent*).» Chaque fois que mon père m'a dit
sa difficulté à comprendre ma mère ou la difficulté de
ma mère à le comprendre a-t-il trouvé ce soulagement. Un temps j'ai pu dire «oui, Pâque aussi, moi
aussi» mais cela ne me satisfaisait pas, je regarde mon
père et il me semble que son regard est égaré, et cet
égarement me donne une petite détresse. Comment
cela se peut-il: deux êtres vivent côte à côte des années et ne se connaissent pas fortement, ne naissent
pas l'un de l'autre.

Je suis battu-abattu chaque fois que mon rêve
d'amour est détruit, que la violence occupe mon territoire. Quand la violence s'étale presque partout j'ai
peur. Pourquoi fait-on des cauchemars. Qui est cette
forme sans visage qui se penche sur mon berceau. Qui
est cette vieille femme noire qui sort de la maison: est-
ce mon corps qui est pendu devant la maison, ou ceux

de la Corriveau et de son amant. Qui m'abat à coups de revolver. Quel corps mort est caché dans la petite remise. Qui descend dans la cave avec un grand bâton pour battre qui ne lui est pas soumis. Qui ne se retrouve plus dans une suite de couloirs et d'ascenseurs. Qui n'arrive jamais à destination, se trompe de trajet, est toujours en retard.

L'amour est plus rare que la violence. Ouvrez la télévision: comptez les coups de feu — qui a dit que la guerre était ailleurs, en Iran, en Palestine, en Irak, en Lituanie —, comptez es annonces publicitaires, les coups de laideur, les coups de bêtise. Ouvrez les maisons: comptez les remarques qui mutilent enfants et parents. Ouvrez les écoles: comptez les exercices utiles à faire des êtres dépendants, passifs, inintelligents, soumis, respectueux-haineux des règles; qui est bien noté, qui est mal noté. Ouvrez les couples: qui bat qui, qui ne peut accepter que l'autre soit autre, qui ne peut aimer l'autre. Ouvrez les lieux de travail: qui va avoir la meilleure place, qui passe devant qui; qui décide, qui exécute; qui est bien payé, qui est mal payé.

Je n'ai jamais vu mon père pleurer: enfant on l'appelait le veau parce qu'il pleurait toujours; quand son père est mort il l'a photographié — j'aurais préféré qu'il pleure. J'ai souvent vu mon grand-père Gagnon pleurer en disant «mes chers petits enfants». Longtemps j'ai été incapable de pleurer: les conduits étaient bloqués faute d'usage. Les premières fois que j'ai pleuré adulte — je devais être dans la trentaine avancée — cela a fait mal: un coresprit disloqué sanglotait, mourait. Puis les crises de sanglots ont été remplacées par de fins ruissellements. Qui me voit pleurer: je me cache; il y a ma femme, mes enfants.

Pourquoi est-ce que je pleure: l'amour ou la beauté abattus par l'ignorance ou la cruauté. «Oui, j'ai souvent peur des gens, tels qu'ils sont», dit Thomas Bernhard; j'ai peur de ceux et de celles qui refusent l'amour et la beauté, qui s'installent dans la violence ordinaire.

J'ai commencé à faire la vaisselle pour aider ma mère. Il a été long le chemin pour la saluer, la regarder. Les émissions de télévision pour femmes ont été pour elle une université populaire. Elle ne lit pas: son père était analphabète, sa mère lit le journal, une de ses sœurs des IXE 13, c'est tout. Le travail à l'extérieur de la maison: il faut gagner tôt sa vie. Le mariage et la maison-prison: mon père ne veut pas qu'elle continue à travailler à l'imprimerie. Elle aime les étrangers, ceux celles qui viennent d'ailleurs, sa voix change, mime les leurs. Je suis gêné. Ma mère aurait su parler plusieurs langues. Elle parle jargon avec une grande rapidité: elle rit de sa facilité. Elle aime les sorties: magasinages, restaurants, voyages. Elle a longtemps été enfermée. Elle aime les gens, les inconnus. Elle a longtemps été seule. Elle aime parler. Elle s'est longtemps tue. L'aînée d'une famille de huit enfants. Moi aussi je suis l'aîné. Il n'y a personne avant l'aîné, pas de modèle d'enfant, cela explique sans doute que l'aîné devienne un enfant modèle. Elle n'aime pas le téléphone. Qui aurait-elle appelé: il n'y a pas de lien intime entre elle et sa mère. Elle pleure, rit, parle fort. Je suis gêné. Elle croit que je me moque d'elle si je retourne sa parole. Son langage est parfois trivial: je n'aime pas la vulgarité. La vulgarité ne me fait pas rire: elle rature la beauté, la délicatesse, elle fait le jeu de l'oubli. À quoi pense-t-elle ma mère. Jeune je ne la reconnais pas. Que regarde-t-elle. Je ne sais pas. Peut-être est-elle surprise. Sa vie n'est pas celle qu'elle aurait aimée. Elle entretient la maison, ses enfants. Mère ménagère. La propreté efface le rêve. Mégère malgré elle parfois, colère venue de très loin, de la vie qui ne prend pas les couleurs désirées. Elle aurait aimé que je sois comptable: j'étais fort en mathématiques. Ne pas manquer d'argent, ne pas arriver toujours juste. Un comptable compte de l'argent, s'il en compte c'est qu'il en a, qu'il sait que l'argent ça compte. Ma mère et moi, thème intime. Non. Qu'y a-t-il entre elle et moi d'intime. La parole ne va pas loin. Il en est souvent ainsi entre parents et enfants quand le réel a raturé le rêve. Qui sait parler l'intime. Où apprend-on à parler l'intime. La famille, souvent une école de silence. On peut imaginer qu'il y a des secrets que les parents cachent là où il n'y a que des silences. Un grand analphabétisme: on ne sait pas lire l'intime, on ne sait pas où il est écrit, on ne le parle donc pas. Quand je fais la vaisselle, que je m'occupe de cette petite fille arrivée par erreur dix-huit ans après moi, je me substitue à ma mère. Je la relève de ses fonctions pour qu'elle se repose un peu de la fatigue accumulée dans toutes ces années où elle a été retenue à la maison par les enfants qui apparaissaient à tous les cinq ans. Elle n'a pas de temps à elle, elle vit pour ses enfants. Elle est une bonne ménagère: ses enfants ne manquent de rien, peut-être seulement d'une mère qui aurait du temps à elle. Ma mère aime coudre-inventer. Elle préfère les couleurs voyantes qui brisent la vie quotidienne sans éclats. Est-ce sa couture qui a été ma première leçon d'écriture: écrire pour ne pas être noyé dans le terne. Il n'y a pas longtemps que je sais que ma mère m'aime: il lui aura fallu du temps à elle pour aimer. Elle ne lit toujours pas mais cela m'importe peu. Je sais qu'il y a en elle une générosité inépuisable. Je ne sais pas d'où vient cette générosité. Des rêves ou de la pauvreté d'une petite fille que je n'ai

pas connue et que je connais pourtant depuis peu.
Mes enfants ne comprennent pas pourquoi je refuse
d'acheter un lave-vaisselle; ils ne savent pas que lorsque je fais la vaisselle, je touche au corps chaud de ma
mère, que je suis ma mère.

Nos parents, notre compagne ou notre compagnon, nos enfants, nos amis: il est difficile de ne pas
les idéaliser, pourtant nous ne les aimons vraiment
que si nous sommes capables de les embrasser avec
leurs forces et leurs manques. Je veux être aimé de
partout, être pris totalement.

Je me suis toujours préparé à être abandonné, à ce
qu'aucun abandon ne me fasse mal, je me suis condi-
tionné à ne compter que sur moi, à me débrouiller seul.
Si quelqu'un m'aime ou m'aide, je suis ému, toujours
surpris qu'un autre fasse quelque chose pour moi. Ce
comportement s'explique-t-il par le lien entre ma mère
et moi: 1) l'absence de ma mère à ma naissance: elle
m'en a fait à quelques reprises le récit: hémorragie qui
aurait pu la faire mourir — je me suis toujours senti
responsable de ce bain de sang dans lequel mon père a
trouvé ma mère à l'hôpital; 2) quand j'étais enfant mes
parents me laissaient l'été à ma grand-mère pour aller
vendre au marché les produits de la terre: mes jeunes
tantes me gâtaient; 3) jeune elle a dû se sentir abandon-
née, non écoutée, l'aînée d'une famille nombreuse a
souvent une enfance plus courte, est vite chargée de
responsabilités, et cet abandon est en moi: ma mère se
débrouille seule, n'appelle pas les autres (comme elle
je n'aime pas le téléphone), est distante par rapport à
sa famille (elle préfère la compagnie des étrangers: je
suis plus à l'aise avec mes amis qu'avec mon frère et
mes sœurs). Ou par le fait que j'aie été un enfant seul,
un enfant unique jusqu'à cinq ans.

Parfois je pense à mon frère, bébé que ma mère voulait propre à un an, bébé qui a tant pleuré d'être forcé de demeurer sur le pot: en a-t-il été de même pour moi: il semble que non, aucun récit ne me l'a dit: ai-je donc été sage et propre dès un an. Ma mère ne savait pas qu'un enfant devient habituellement propre à deux ans et demi. Louis répète-t-il cette violence avec les autres: les force-t-il à rester à la place qu'il juge correcte, les force-t-il à un développement plus précoce.

J'aurais aimé être médecin mais j'avais peur du sang (sans doute à cause du récit de ma naissance). Pourquoi médecin: pour prendre soin, être une mère chaleureuse, un père aimant.

«Plutôt que celui que j'étais vraiment, n'était-ce pas celui que je feignais d'être que vous aimiez — cet enfant sage, compréhensif et sur qui l'on pouvait compter, cet enfant agréable, plein d'empathie et de compréhension, qui, en fait, n'était pas un enfant? Qu'est-il advenu de mon enfance? Me l'a-t-on volée? Je ne pourrai jamais la rattraper. J'ai été dès le début un petit adulte. A-t-on tout simplement abusé de mes qualités (Alice Miller, *Le drame de l'enfant doué. À la recherche du vrai Soi*)?» Enfant j'étais un miroir: les autres y voyaient une image qu'ils aimaient, moi je n'y voyais que les autres. Je m'endormais avec une peine secrète que je ne disais pas. Je ne feignais pas d'être sage, je l'étais sans effort: ma peine m'avait sans doute tué. Quelle peine. Se peut-il qu'un enfant sente la peine de sa mère, la peine de son père, qu'il devienne un enfant sage — il est facile d'être sage quand on est triste — pour ne pas accroître leur peine, pour être aimé d'eux. Qui a éclaté en sanglots pendant une séance de psycho-thérapie parce qu'il croyait que sa vie de couple répé-

tait l'échec de la vie de couple de ses parents: un petit
garçon qui n'avait pas pleuré depuis longtemps, qui
avait gardé secret ce qu'il avait vite compris: que maman ne comprenait pas papa, que papa ne comprenait
pas maman, qu'il n'y avait pas de tendresse forte entre
eux, qu'ils remplissaient en bons catholiques leur de-
voir du mieux qu'ils pouvaient: les enfants ne man-
quaient de rien et chacun mettait de l'eau dans son vin
pour que la vie de couple continue — maman disait
parfois qu'elle exagérait, papa disait qu'elle était fatiguée, maman cousait, papa chantait.

De quoi se rappelle avec plaisir un enfant sage.
De ses trois «mauvais coups»: deux petites fugues —
fuir la solitude de l'enfant qui joue seul, chercher
d'autres enfants —, et une tromperie — les pilules de
foie de morue jetées sous le lit aussitôt que maman
était sortie de la chambre.

Phantasme d'enfant sage: je suis Joseph que ses
frères envieux jettent dans le puits et qui devient le
grand intendant du pharaon: alors ses frères et son
père s'inclinent devant lui. Ne suis-je pas devenu critique pour interpréter les rêves des autres, pour qu'ils
aient besoin de moi. Ce n'est pas un hasard si j'ai désiré longtemps lire les quatre tomes de *Joseph et ses
frères* de Thomas Mann (je ne serais pas surpris
d'apprendre qu'il a été un enfant sage: qui d'autre
s'intéresserait à l'histoire de Joseph): «l'art de l'é-
criture [...] Joseph y portait un intérêt très vif, différent
en cela de ses frères». L'enfant sage est un enfant seul:
il n'est pas surprenant qu'il s'intéresse à l'écriture, cet
art de rendre présent ce qui est absent; l'enfant commun, entouré d'autres enfants, joue, fait des bons et
des mauvais coups, n'a pas beaucoup le temps de
s'intéresser à l'écriture.

Au commencement du refus, il y a la faim. Voilà que ce qu'on me donne à manger, qui m'a nourri jusque-là, ne me nourrit plus. Je cesse de manger et avance vers ma mort. Je cherche pourquoi la nourriture habituelle ne me soutient plus, pourquoi elle a perdu sa saveur, pourquoi je ne le remarque qu'aujourd'hui. Cela tient autant à l'assiette, à la cuisine, au quartier, à la ville, au monde entier, à tous ces individus qui y circulent, à cet homme que je suis et que je ne reconnais pas, qu'à la nourriture elle-même. Cet homme: un fonctionnaire, un individu rangé, un mort qui porte mon nom. Comment est-ce possible. Où sont les jeux de l'enfance, je ne connais que les tremblements de l'adolescence. Je ne joue plus, je tremble, je tiens mon rôle, quand je n'en peux plus des médecins me donnent des médicaments, quand les médicaments ne me sont plus rien je suis tenté de me laisser mourir. «Et il faut que nos chevaux aient un jour pris le mors aux dents, pour que nous perdions un peu de notre assurance et que nous devenions plus modestes (Ernst Wiechert, *Missa sine nomine*).» Une fois tombé en bas de ma maison roulante, ou je laisse la fraîcheur de la terre me reprendre, m'envelopper, et c'en est fini de toute agitation, ou je tends la main pour qu'on m'aide à me relever: je mendie ma vie, je dis «donnez-moi ma vie». À qui dire cela quand les prêtres sont en poussière dans leurs confessionnaux, les psychologues toujours prêts à s'adapter au monde moderne, les amis trop loin, trop occupés. Où trouver une parole qui ne me sépare pas de ce que je suis, ne me brise pas en morceaux, ne me défait pas. Où trouver quelqu'un qui va écouter ma demande, va m'accompagner dans la quête de cette parole, va m'aider à la faire apparaître.

Depuis que j'ai cinq ans j'ai toujours habité dans des quartiers ouvriers. Notre maison est sur une rue pleine d'érables — ces arbres sont toute sa beauté. Je ne pourrais habiter ni un quartier riche ni un quartier pauvre, mes racines sont celles du milieu ouvrier — les érables sont l'image de la campagne de la petite enfance. Quand j'ai choisi mon analyste j'ai préféré à celle qui avait une maison luxueuse et une parole raffinée celle qui avait un bureau réduit à l'essentiel et une parole simple, celle qui participait à une recherche sur la famille québécoise et se disait lacanienne. Mes voisins, un capitaine de pompiers et un vendeur de clôtures, sont des hommes discrets et agréables, nos trois maisons sont attachées et je m'en porte bien.

J'ai fait une analyse de quinze mois. C'est court, dit-on; ma pratique du poème m'a-t-elle permis de faire parler plus vite le petit garçon silencieux que j'ai été parce qu'il avait montré ici et là dans mes livres le bout du pied ou le bout de la tête: je ne sais pas. Trois fois par semaine je parlais devant un petit mur de briques anciennes, jointes inégalement — il me semble qu'il y en avait une au centre qui n'était pas comme les autres, que si j'arrivais à la desceller toute la lumière de ma vie m'éclabousserait. J'ai été m'étendre sur un divan parce que je touchais à ma mort: le divan est un cercueil, vous vous y allongez pour repasser votre vie, défilent devant vous les vivants et les morts, les femmes et les hommes, les idées et les rêves, vous dessinez votre généalogie. J'étais très fatigué, souvent étourdi, j'avais de violentes névralgies migraineuses au passage des saisons, Pâque n'entendait pas ce que je lui disais, ne me disait pas ce que de toute façon, disait-elle, je n'aurais pas compris, je ne pouvais entendre ce qu'elle avait à me dire sans me mettre en colère ou devenir un monstre froid — je mourais parce que je répétais la méconnaissance entre mes parents alors que je m'étais juré à dix-huit ans de ne pas la répéter, je mourais parce que l'amour premier ne tenait pas ses promesses, qu'un petit garçon n'arrivait pas à pleurer sur sa détresse qu'un bon élève lui expliquait: sa détresse était logique, pourquoi pleurer. Une femme que je ne connaissais pas m'a écouté avec bienveillance. Sur la cheminée du foyer il y avait une petite plaque avec un mot écrit en lettres majuscules: TRANSFERT. J'ai été tenté de lire sur le transfert, je ne l'ai pas fait; je n'ai presque rien lu en psychanalyse pendant ces quinze mois — ce que j'ai lu de plus juste sur l'analyse, comme je l'ai vécue, se trouve dans deux livres de Maurice Bellet: *La théorie du fou* et *L'écoute*. J'ai tenu un journal d'analyse ou plutôt j'ai continué mon journal intime en y ajoutant des récits de rêve (j'ai fait un effort pour les noter sachant que ce matériel pourrait être révélateur: l'a-t-il été, je ne le sais pas). J'ai choisi une analyste, je cherchais une mère qui m'aiderait à entendre la parole de Pâque, le silence de ma mère, à me défaire de l'armure de mélancolie qui m'étouffait. Mon analyse a-t-elle réussi: un jour je ne pouvais plus m'étendre sur le divan parce que c'était faux: je n'étais plus mort, j'avais envie de vivre, de marcher, d'être debout. Mes étourdissements et mes migraines ne sont pas disparus, mais ma détresse et le silence dans notre vie de couple sont presque disparus. L'analyse n'a pas effacé ma souffrance, elle m'a donné la possibilité de la dominer au lieu d'être dominé par elle. Si la souffrance reprenait le dessus, je retournerais m'étendre sur le divan de celle qui ne m'a presque rien dit; quand j'ai mis fin à l'analyse, j'aurais aimé savoir ce qu'elle pensait de ma vie après tout ce que j'avais dit face au mur de briques, puis j'ai su que cela

n'était pas important, il me suffisait d'avoir retrouvé
le fil d'amour entre Pâque et moi, entre ma mère et
moi, entre moi et moi: parfois trop de mots égare.

Durant l'analyse je sentais par-dessus ma cage
thoracique une grande île qui dérivait vers ma gorge,
allait m'étouffer. Cette grande île était-elle la carte de
ma vie, cachée derrière un tableau dans la chambre
du jeune homme du film *Boy meets girl*. Ou ma solitude. Ou ma mort.

Enfant quand j'allais regarder mon père émondeur travailler, j'avais peur qu'il tombe et se tue. À
dix-huit ans j'avais peur de devenir fou à cause de
l'agitation froide de ma pensée. Je n'arrivais pas à cesser de penser: ça pensait toujours dans ma tête. Mon
directeur de conscience pensait que j'étais un candidat
au suicide. De cette peur d'enfant et de cette agitation
de grand adolescent, il m'est resté des nuages dans la
tête qui parfois m'étourdissent, une sympathie pour
ceux et celles qui se suicident. Quand je ne suis pas
bien dans ma peau, j'évite tout récit de suicide: j'ai
mis du temps à être capable de lire *La cloche de détresse*
de Sylvia Plath. Qu'aurait dit mon père si je m'étais
abandonné à la mort, lui qui tient des propos durs
contre les femmes qui ont recours à l'avortement, les
homosexuels, les assistés sociaux, les individus qui racontent leur vie privée publiquement. En aurait-il mis
la faute sur ces poètes que j'aime, sur ces hommes, ces
femmes que je lis, qui ne s'adaptent pas au monde tel
qu'il est, n'acceptent pas son ordre, ne le répètent pas.
Aurait-il pleuré lui que je n'ai jamais vu pleurer.

«Seule la douloureuse expérience qu'est la décou-
verte de notre propre vérité et son acceptation peuvent nous libérer, du moins en partie, de l'espoir de

trouver [...] une mère compréhensive et empathique dont nous puissions disposer (Alice Miller, livre cité).» J'ai pleuré quand dans un rêve la femme qui se penchait sur mon berceau n'avait pas de visage. Ma mère a été une mère froide, cette impression qu'elle nous lavait enfants comme elle lavait les planchers, avec vigueur, elle ne nous embrassait pas, elle veillait à ce que nous ne manquions de rien. J'ai mis du temps à comprendre pourquoi elle riait si fort, pourquoi elle se mettait à pleurer. Que serais-je aujourd'hui si j'avais eu une mère chaleureuse: peut-être un homme moins indépendant, moins gauche dans son corps, moins solitaire, moins sérieux, moins attentif à la peine des autres. Mes limites, ce sont des traits, des coups de crayon qui me dessinent: grand et maigre, gauche et solitaire, passionné et inquiet.

Si je ne me suis pas apparu dans le visage de ma mère, dans celui de mon père, si je ne me suis pas connu dans leurs yeux, si des yeux différents me sont apparus, comment à chaque fois n'être pas tout yeux pour l'autre, sa différence, n'être pas pour moi rien. J'ai été rien, un rien très aimé de n'avoir rien à demander. Longtemps, il y en a encore des traces, j'ai assisté en spectateur froid aux événements qui affectaient mes proches qui ne m'étaient pas plus proches que les étrangers. Toute ma parole est un combat pour accéder à un *je* qui soit un brin d'herbe unique. Il ne suffit pas de dire *je* pour devenir un *je* unique, l'enfant peut reproduire des mécanismes langagiers sans que ceux-ci l'aident à s'approprier sa vie, il y faut un amour qui brise le faux *je* docile que l'on a revêtu très tôt. Est-ce que j'invente tout ça. N'ai-je pas été un enfant aimé, ma mère n'a pas cessé de me dire comment tous m'aimaient. Qui serais-je aujourd'hui si je n'avais pas connu enfant l'amour de ma tante Françoise. Cette

femme qui n'a pas trouvé de compagnon pour partager son idéal d'amour, j'aurais aimé qu'elle soit ma
mère, qu'elle vienne le soir me border, m'embrasser
pour que je traverse sans peur la nuit. Ma mère
veillait à mon entretien, mère-abeille toujours présente, ma tante veillait à son idéal, mère secrète à la
présence intermittente.

Coupé de la chaleur originaire. Distant, froid, ne
se mêlant pas, écoutant. Quand j'ai senti la douceur
de la boule de feu de l'amour — «Parfois, c'est un'
boul' de soie, / La boul' de feu», dit Norge dans *La
langue verte (Charabias et Verdures)* —, j'ai eu envie de
donner une part de mon feu à qui je sentais froid
comme j'avais été. L'amour est inépuisable, ne se mesure pas; chaque lien amoureux est unique, a sa fidélité selon ses formes (filiation, mariage, amitié,
compagnonnage, rencontre), connaît des moments
forts où l'amour brûle et des moments creux où il
risque de s'éteindre.

J'imagine que les femmes et les hommes que
j'aime me ressemblent, qu'ils ont faim de chaleur
parce que par chance ils ont été brûlés une fois: ils ont
su que le gel s'il engourdit ne donne pas de chaleur,
que quelques étincelles de feu qui mettent parfois la
vie sens dessus dessous — les femmes et les hommes
sont peu habiles dans le maniement du feu — valent
mieux que la politesse froide qui paraît tout l'avenir
des échanges langagiers. Les gens «naturellement»
chaleureux ne m'attirent pas, je les laisse prodiguer
leur chaleur; je suis attiré par les femmes et les
hommes chez qui je sens qu'il y a eu ou qu'il y a encore un petit garçon gourd et une petite fille frimas.
Les premières pages d'un petit livre remontent: «Dans
la grande famille humaine, un œil clair distingue aisé-

ment deux êtres que la nature façonne avec constance. Le premier, dès sa naissance et quelle que soit sa condition, se trouve à l'aise dans la vie. Il la subit et l'aime comme une chose simple, naturelle, qu'il est inutile de vouloir comprendre. [...] La raison lui trace chaque jour les logiques chemins par où elle doit passer. [...] le second [...] Le drame a commencé pour lui dès l'enfance [...] Taciturne et nonchalant, il promène au long de sa vie le poids trop lourd de tragiques secrets. [...] Ce spectateur figé est la conscience du monde (Jean Fougère, *Thomas Mann ou la séduction de la mort*)». Tout mon travail: passer de la lourdeur tragique à la délicatesse aimante, du retrait à la rencontre.

L'amour et la pensée s'entretiennent: penser (à) l'amour aide à aimer, aimer force à réviser nos habitudes de penser. Être toujours en train de lire un livre d'amour pour garder ma boule de feu: «La boul', ça râpe et ça bouge, / L'amour, c'est beau quand c'est rouge. / Y a du bonheur dans l'malheur / Pour ceux qu'ont la boule au cœur.» L'amour n'est pas que rouge: dans mon jardin il y a des marguerites jaunes et des roses vertes.

Les femmes que je connais qui ont lu *Pour guérir du mal de mère* de Raymond Hétu ont été bouleversées, ont trouvé le livre très dur à l'égard de la mère. Elles n'ont sans doute pas tort. Souvent dans les récits d'enfance c'est la mère qui fait souffrir, est violente, veut imposer la loi, le père est plutôt agréable et effacé: joue avec les enfants, boit un peu, tempère la violence de sa compagne. Cette situation dans la mesure où les lois ont été faites par des hommes et où les femmes sont censées être des ventres chauds paraît paradoxale: l'homme qui a fait la loi apparaît agréable, plein d'humour, et le ventre chaud se met en colère, ordonne, crie. L'explication se trouve peut-être au début d'*Anna Karénine* quand Tolstoï décrit le prince Stépane Arcadievitch et sa femme Daria Alexandrovna que son mari appelle Dolly, au moment où celle-ci vient de découvrir que son mari entretient une liaison avec une ancienne gouvernante: «Un bel homme de trente-quatre ans, sensuel comme il l'était, ne pouvait pas se repentir de n'être plus amoureux de sa femme, mère de sept enfants dont cinq vivants, et d'un an seulement plus jeune que lui. [...] Il trouvait même que cette femme fatiguée, vieillie, qui avait perdu sa beauté, ne possédait aucune qualité marquante et n'était rien d'autre qu'une bonne mère de famille.» Je serais porté à croire que la femme s'aigrit quand l'homme cesse de voir en elle la jeune fiancée à qui il ne cessait de penser: une fois que l'homme est satisfait sexuellement, que sa femme a commencé à lui donner des enfants, qu'il n'est plus hanté par elle parce qu'elle dort dans le même lit, l'amour est tombé. Que la femme compense la perte des attraits de la fiancée, la nudité de la jeune femme, par la prise d'un autre pouvoir, l'autorité de la mère, cela me paraît évident; la faute n'en revient ni à elle ni à lui, mais à une société qui n'a jamais encouragé le rapprochement des sexes autrement que par l'accouplement: tout se passe comme si entre une femme et un homme il n'y avait pas autre chose à faire qu'à connecter de la façon la plus jouissive un pénis à un vagin. L'homme qui n'attend de la femme qu'une jouissance intermittente fait de celle-ci une esclave, une prostituée; celui qui fait de sa femme une amie — pas d'amitié sans parole — a la chance d'avoir une amante qui connaît plusieurs gestes amoureux, une compagne qui ne sera jamais ni pour les enfants ni pour lui une mère tyrannique ou esclave, mais une femme libre de manifester toute sa puissance aimante.

Un ancien étudiant rencontré par hasard me dit le sourire aux lèvres qu'il n'est plus avec son amie: il s'est rendu compte qu'elle était comme sa mère. Lui bien sûr ne s'est pas rendu compte qu'il était comme son père: un homme qui ne sait pas aimer une femme, recevoir d'une femme le cadeau de l'amour, un homme qui tire son pouvoir de son silence, de sa fuite, du refus du dialogue. Pas de dialogue, pas de vérité: rien que du pouvoir pour qui gagne, de la peine pour qui perd.

Une mère froide: cela peut être le masque d'une femme chaleureuse. Un père chaleureux: cela peut être le masque d'un homme froid. Nos vies, qu'on le veuille ou non, sont faites de gel et de brûlure. Ce que je dis de mes parents est ma vérité, non la leur. Ce que je dis d'eux est peut-être la vérité de presque tous. Dire encore que cette mère froide-chaleureuse, ce père chaleureux-froid, je les aime, que je suis fait de leurs chairs mêlées, que je ne les juge pas, qu'en vieillissant ils me paraissent gagner en douceur, que cette douceur m'est bonne après toutes ces années où je croyais qu'ils étaient des mal-mariés, des mal-aimés. Oui la douceur peut arriver du milieu de la douleur. Quand j'écris mon nom, il y a au milieu ceux de ma mère et de mon père.

J'ai été un enfant silencieux, les questions que j'avais je les enfouissais dans ma tête-cœur: à qui les aurais-je dites. Homme les circonstances m'ont conduit sur le chemin du poème, j'ai posé des questions, j'ai tendu la main, chaque fois qu'on a répondu, pris ma main, j'ai été ébloui: d'où venaient cette parole, cette main — aujourd'hui je sais qu'elles sont la croûte mince à la surface du désert dont les fils d'Israël demandaient le matin «qu'est-ce». Ces paroles on ne peut les accumuler, «on ne retient pas toute la lumière d'un matin éblouissant (Henri Petit, *Les justes solitudes*)», elles sont en nous comme les étoiles dans la nuit. Novembre. L'hiver est là. Je pense à mes parents; plus je vieillis, plus je les aime — ils ne m'ont jamais menti: ma franchise est née de la leur. La nuit parfois je songe à ce que deviendront nos enfants. Je me colle contre Pâque, sans sa chaleur la vie serait toujours novembre. Je regarde une photo: mes parents sourient devant le feuillage d'automne d'un grand érable, douceur du jaune qui efface le vert.

Dans quel monde vivons-nous. Nous sommes tatoués de ses violences: vitesse, performance, changement, stress, spécialisation, chômage, guerre, crime, concurrence, solitude, béhaviorisme, spectacle, publicité, contrôle. De plus en plus d'individus dépressifs, machines usées qui ne connaissent pas la joie de vivre. De plus en plus d'individus violents, machines détraquées qui croient s'en sortir en étant plus violentes que le système. De plus en plus d'individus menteurs, machines huilées qui exploitent les failles du système, le détraquant ainsi encore plus. Comment échapper à ces morts — l'affaissement, la délinquance, le mensonge — sinon en cherchant des voies de sortie (une forme de prière, une pratique artistique ou physique, une thérapie ancienne ou nouvelle, une activité intellectuelle, un engagement communautaire, etc.) qui permettent une circulation amoureuse de nos énergies dans notre milieu, en remontant tranquillement le chemin d'une vie où la joie a été perdue, le cours d'un monde que des puissants, au nom de la science et du progrès, ont réduit en esclavage. Grandes pertes que celle du Dieu-Amour, que celle de la parole-visage: Dieu est infiniment plus que les lois, avoir une parole non humiliée, un visage non défait, où cela est-il encore possible. Qui va nous écouter si nous ne savons pas écouter, remonter à l'origine de la vie, n'avons rien de juste à dire, ne sommes qu'une bande qui reproduit les bruits du monde. Qui va nous pardonner de n'avoir à donner que nos peurs, nos blessures. Nous avons besoin de maîtres de joie. Nous vivons dans un monde où des menteurs soignent les dépressifs et enferment les délinquants; qu'arrivera-t-il quand il n'y aura plus assez de menteurs pour faire piétiner le monde.

3

Penser la vie mutilée. Rien d'autre. Cent cinquante-trois fragments: *Minima moralia. Réflexions sur la vie mutilée*, de Theodor W. Adorno. Des mois j'ai été dans ce livre. Je ne le lâchais pas, comme il m'arrive avec la plupart des livres, parce qu'il ne me lâchait pas. Souvent j'étais forcé de relire un paragraphe, parfois tout un fragment, pour comprendre. Même s'il y a toujours un livre de philosophie sur ma table, je ne m'habitue jamais à la rigueur conceptuelle. Je voudrais ne pas penser, me reposer au milieu du monde, assis sous l'érable planté à la naissance de Yannick, seize ans déjà. Je voudrais ne pas penser mais voilà qu'autour ça pense tout croche. Alors je me tourne du côté des philosophes; pendant quelques années le *Ainsi parlait Zarathoustra* de Nietzsche m'a pensé. Je commence à lire mais j'arrête quand les concepts deviennent des pirouettes, des renversements programmés, prévisibles; les philosophes à bien manier les concepts oublient le monde, trop souvent, leur vie-mort, alors leurs livres ne sont que des machines rhétoriques où le sujet est assujetti, garrotté. J'aime que nous puissions dire *je*, penser fortement notre rapport au monde en refusant les lieux communs qui nous mutilent. Morale minimale: lutter contre la vie mutilée que le pouvoir veut nous faire vivre. Un refus net.

Le discours d'Adorno, toujours cette force qui engage le *je* à dépasser le moi, cette pensée qui tient en-

semble la critique et l'émotion. Je ne me souviens pas
avoir déjà lu raisonnement aussi serré et aéré en
même temps, sauf chez Hegel. Serrés Spinoza et Kierkegaard dans *L'éthique* et *La maladie à la mort*, mais aérés non. Toujours cette question: quel individu dans
quelle société, quel individu aliéné dans quelle société
aliénante. Comment sortir de l'aliénation, lui tenir
tête, ne pas y perdre ses émotions, avoir raison de tant
de peurs entretenues quotidiennement par l'ordre du
pouvoir à l'école, au travail, en famille, dans les
groupes.

Livre qui me tient en vie, livre de gai savoir qui
décrit un «triste savoir»: «La vie ne vit pas.» La vie
morte comment vivre: «[...] il n'y a plus maintenant
de beauté et de consolation que dans le regard qui se
tourne vers l'horrible, s'y confronte et maintient, avec
une conscience entière de la négativité, la possibilité
d'un monde meilleur. La méfiance s'impose à l'égard
de toute spontanéité, de toute légèreté et de tout relâ-
chement, car ce sont autant de façons de reculer devant la puissance écrasante de ce qui existe.» Six
lignes et tout se bouscule dans ce qui me tient lieu de
pensée. Tant de choses à la fois qui me travaillent mé-
riteraient que je prenne le temps de les penser. Comment commencer. Au cœur de tout ce qui me tiraille il
y a l'espérance et la négativité, la dureté et l'arra-
chement. «Espérer, c'est attendre; le bonheur commence lorsqu'on ne l'attend plus», ou «celui qui
n'espère rien, rien ne lui manque» — ces deux formules dans les premières pages d'un livre de philosophie qu'un ami m'avait donné, certainement pas dans
celui d'Adorno. Vingt pages du *Traité du désespoir et de
la béatitude* m'ont suffi pour savoir que je n'irais pas
plus loin; les cinq pages de la dédicace dans *Minima
moralia* ont suffi pour que je sache que ce livre allait
me coller à la peau. Au désespoir élégant et malin —

je n'espère rien, donc je ne suis pas déçu, alors je peux être heureux —, je préfère l'espérance dure, celle qui pense l'impossible, «la possibilité d'un monde meilleur». J'espère et je n'attends rien: c'est l'espérance — l'espoir attend et le désespoir n'espère pas. J'espère et je vois l'horrible; je ne suis pas heureux et c'est ma paix — comprenne qui voudra. L'espérance n'est pas molle, paresseuse, je la conçois dure, vigilante: elle refuse d'entrer dans le jeu de ce qui empêche un monde aimant. Elle dit non au monde horrible: elle ne connaît ni l'humour qui laisse aller le monde tel qu'il est, ni le silence qui laisse à l'individu de pouvoir son carré de plaisirs-privilèges. C'est la petite fille espérance de Péguy que j'aimais à dix-huit ans, l'espérance forte du seul impossible qui me tente: qu'il y ait de l'amour et de la colère plutôt que de l'indifférence et de la haine. Adorno suit la leçon de Hegel: «l'esprit est cette puissance seulement en sachant regarder le négatif en face, et en sachant séjourner près de lui»; faire face au négatif est une façon de dépasser le moi satisfait de lui et par conséquent du monde qu'il ne méprise que du bout des lèvres. Lutter contre tous les positivismes qui fournissent des grilles qui cadastrent selon leurs intérêts le monde, qui refoulent l'horrible, la force de la mort. Lutter contre tous les spontanéismes qui ne veulent qu'une seule chose: dormir, ne rien savoir, s'amuser, se divertir.

Le prix d'un langage autonome: la solitude. Comment parler les uns avec les autres quand la plupart abdiquent, se contentent de signaux polis, convenus, à la mode. Travailler seul alors qu'on pense à des solidarités nécessaires: paradoxe auquel l'intellectuel ne peut échapper à moins de se transformer en perroquet mondain — finis alors le travail rigoureux, la vigilance qui déchire le petit moi. Quand mes enfants

sont couchés je vais à la table d'écriture avec une tasse
d'eau bouillante pour continuer le travail commencé:
la clarification des paroles, l'émotion dans la pensée.
Parce que le monde avec toutes les informations des
communications de masse et des industries cultu-
relles sème la confusion: tout est égal, tout est nivelé.
Parce que l'émotion est chassée non seulement des
rites de la vie publique mais encore des gestes de la
vie privée; il n'y a de place que pour la violence: ouvrez «votre» poste de télévision, lisez «vos» livres à
succès. L'horrible: la plupart ne peuvent faire autre
chose que de demander à la télévision, à la presse,
aux best-sellers de les matraquer sans cesse. L'école
fait-elle autre chose.

Adorno parle de la vie privée: mariage, puissance
érotique, conversation, cadeaux, famille, maison.
«Qu'est-ce que cela signifie pour le sujet, le fait qu'il
n'y ait plus de fenêtres à double battant à ouvrir, mais
de grossiers panneaux vitrés qu'il suffit de faire glisser?» ou «on a désappris à fermer une porte doucement et sans bruit, tout en la fermant bien»: cette
porte maintenant se ferme automatiquement, ces fenêtres qui ouvraient la chambre, la maison, au quartier, au monde, ne sont plus que des antiquités.

J'apprends sans cesse qu'il n'est plus possible
d'habiter chez soi: «Il ne peut y avoir de vraie vie
dans un monde qui ne l'est pas.» Le monde est devenu faux: le mariage est un contrat qui dure peu, la
puissance érotique à force d'être prescrite s'éteint, la
conversation n'existe plus, nous n'avons plus le
temps de chercher des cadeaux, la maison familiale
est devenue un dortoir. On pourrait croire qu'il n'y a
pas d'issue: la violence s'étale presque partout, le re-
pli sur soi est artificiel. Comment continuer à vivre.

En s'attachant malgré tout à l'amour et à la pensée. Quelque chose comme la lutte de la délicatesse — prendre le temps d'aimer fortement, de penser finement — contre la grossièreté — la violence oppressante, l'absence de pensée.

   «[...] les enseignés tombent dans un mutisme de plus en plus profond. Ils sont capables de faire des exposés, chaque phrase prouve qu'ils sauraient affronter un micro pour y représenter l'humanité moyenne, mais leur aptitude à parler entre eux s'atrophie. Car la conversation présuppose des expériences vécues dignes d'être racontées, la liberté de l'expression, de l'indépendance et des relations effectives.» Adorno qui voit si bien la fin d'un monde, celui de la raison et de l'émotion, submergé par l'apparition du monde de la déraison et de la machine — allez lire *Capitalisme et schizophrénie* de Gilles Deleuze et Félix Guattari —, n'arrive pas à penser fortement une possibilité de contrer les machines célibataires, les mutismes profonds: son discours est mû par la nostalgie du monde ancien. Ce n'est pas un tort parce que ce monde ne raturait pas systématiquement les délicatesses, les liens, les détours, les raffinements, il laissait souffler, penser, aimer. Le monde actuel bourré de programmes et de machines a quelque chose d'infaillible: tout est surcodé, décrit, classé — les passions machiniques sont fausses, leur apparente liberté à se brancher à n'importe quel flux est un beau masque à la suffocation générale. D'où est-ce que je peux dire ça sinon d'une chaise-pupitre devant ou à côté de celles de gars et de filles de dix-huit ans branchés au programme collégial, d'une chaise de cuisine à côté de celles des parents et des voisins branchés au programme de survie (travail-corvée et loisirs forcés) du monde industrialisé, d'une chaise de spectateur où je vois que les mille plateaux de tournage font tourner toujours les mêmes films: ou vous riez pour oublier la mort, ou vous satisfaites les appétits de violence qu'on vous a introjectés — dans tous les cas on vous joue *La grande nervosité* (combien meurent d'une over-dose). Des expériences dignes d'être racontées il y en a toujours: les plus ordinaires suffisent. L'ennui à l'école. Les visages fatigués des travaillants dans le métro — les autobus pleins de corps tassés le matin roulent vers les abattoirs (est-ce que j'exagère). L'iso-lement. Le cri pris dans la gorge. Le fil instable des se-maines. L'absence d'amour. Le vent. La surface d'un lac. Une promenade en bicyclette. Les seins-pommes sous la douche. Un lien amoureux. Des graffiti. Des mensonges. Un rêve. La peur. La joie. Des nuages. Des arbres. Un enfant. Des préjugés renversés. Une partie de badminton. Adorno écrit en 1945, au-jourd'hui le mutisme se porte toujours bien: masses silencieuses ou meutes criardes, discours vides et notes de service fonctionnelles, formalismes de toutes sortes et non-envie de se casser la tête pour com-prendre pourquoi ça ne va pas.

Adorno offre son savoir à son ami Horkheimer avec qui il vient d'écrire *La dialectique de la Raison*: «Pour Max, en gage de gratitude et d'avenir.» L'amitié comme signe d'espérance: si je peux encore tout dire à quelqu'un, tout n'est pas perdu, il y a en-core de l'oxygène dans l'air. «Il suffit que soit présent un seul être humain pour que par l'amour de l'huma-nité on se limite toujours à ne parler que de ce qui est le plus évident, le plus stupide et le plus banal. De-puis que le monde a réduit les hommes au silence, ce-lui à qui on ne peut parler a toujours raison» — l'ami est celui à qui je peux parler. «Le langage des assujet-tis porte uniquement les marques de la domination qui, de plus, l'a privé de la justice promise par un langage autonome, non mutilé, à tous ceux qui sont assez libres pour le parler sans arrière-pensée. Le langage prolétarien est dicté par la faim. Le pauvre mâche les mots pour tromper sa faim»: revient chez Adorno cette idée que le plus bas gouverne le plus haut, que les dominés exercent la domination (l'esclave est le maître du tyran en le forçant à parler son langage grossier: le tyran qui le comprend peut ainsi garder plus facilement ses privilèges).

Qui peut s'offrir «le luxe de la pensée». Penser est un privilège, et va le demeurer tant qu'il y en aura qui auront faim. Devant ces derniers deux attitudes: les ignorer, continuer à faire des œuvres qui ne mènent nulle part, ou reconnaître leur misère, la nôtre, faire des œuvres qui disent l'aliénation. Je préfère les notes sur la vie mutilée d'Adorno aux questions sur l'Être de Heidegger. J'ai choisi mon camp. Quand j'aimais Heidegger c'est qu'il me confortait dans un isolement superbe, le Poème, j'étais ailleurs. Cette superbe est devenue vite intenable à cause des paroles des élèves à qui j'enseignais, à cause de leurs questions, de leurs silences.

«Le seul mariage défendable, ce serait un mariage où chacun des deux mènerait pour lui-même sa propre existence indépendante [...] mais où par contre l'un et l'autre assumeraient, par un acte de liberté, la réciprocité d'une responsabilité mutuelle.» Quand on se marie jeune peut-être n'y a-t-il que le besoin d'être à côté d'un autre, de mêler nos molécules pour qu'il y ait un peu plus de soleil dans le cœur, la tête, les os, le sang, le monde. Je pense de temps en temps au *Tiers livre* de Rabelais où Panurge demande l'avis de Pantagruel s'il doit se marier ou connaître le malheur d'être

seul. Rien ne fait autant hésiter un homme jeune aujourd'hui que le mariage avec une femme. À seize ans
je déclarais que je n'allais pas me marier avant que
j'en aie trente: j'échangerais alors les dollars accumu-
lés contre les caresses et les enfants d'une femme. À
vingt et un ans, la journée précédant celle de mon mariage, j'ai marché longtemps dans Montréal à en
perdre connaissance: y avait-il quelque chose que je
voulais ne pas savoir. Se marier ivre de fatigue et
chercher au milieu d'elle la tendresse et les promesses
de la fiancée. À la première femme qui m'a dit *je
t'aime*, j'ai dit *oui*. Oui à l'amour que je ne connaissais
pas. Le lendemain je lui parlais de la maison dont elle
rêvait et des enfants que nous voulions. Mon langage
était celui du discours chrétien entendu dans ma famille: le mariage avec la fidélité à l'autre et la venue
des enfants était la voie, c'est celle que dit Péguy dans
Le porche du mystère de la deuxième vertu où les yeux de
ses enfants ont un «regard de paradis», un «regard in-
soutenable à voir et qui soutient tous les regards», un
«regard franc». Cette voie est devenue rare, des jeunes
tiennent des propos comme ceux de cette jeune
femme dans le roman d'Eric Kästner, *Fabian. Histoire
d'un moraliste*: «Le mariage n'est pas la forme qui me
permet de m'exprimer vraiment. J'aime trop les
hommes pour cela. Je considère comme mon mari
tout homme que je vois et qui me plaît»; ces propos
libertins masquent une vérité pas très agréable: le
monde tel qu'il va court à la catastrophe, à quoi bon y
faire pousser des enfants qui ne pourraient que nous
en vouloir de notre manque de jugement, de notre
inertie, ne manqueraient pas de les souligner dans des
petits billets laissés près de leurs corps suicidés —
alors que la fête continue et que la mort ne tarde pas
trop, une fête qui se prolonge devient vite terne.

Plus de vingt-quatre ans que le mariage avec la Pâque de mes poèmes dure. Les neuf premières années ont été belles, les douze autres difficiles, les trois dernières fortes de la beauté des premières et de la traversée du désert des autres. Au commencement des années difficiles, deux joies: la naissance de Yannick, la naissance de mon écriture — coup sur coup paraissent *Nattes*, *L'action restreinte* et *Tout va bien*. L'enfant et les livres rendent claires nos différences: l'éloge de la différence est difficile. D'un côté le goût d'appartenir à une famille, de partager ensemble des activités autres qu'habiter la même maison, manger à la même table, dormir dans la même chambre, de l'autre la volonté de poursuivre un travail intellectuel, le goût d'avoir des rapports d'autonomie plutôt que de dépendance. Nous nous cassions toujours les dents là-dessus; tentés parfois d'en finir, nous tenions à cause des enfants (tellement plus beaux que nous), nous disant que le pire céderait bien sa place au meilleur à un moment donné, que le petit fil d'amour qui se brisait trop souvent deviendrait un grand ruban de tendresse. Pendant combien de temps résisterions-nous aux crises, aux vertiges. La fatigue aurait-elle raison de l'espérance. Dans mes oreilles les phrases dures, les rires rauques de Colette Magny: «Le couple (ah ah ah ah) / C'est guère qu'une toute petite réunion (ah ah ah ah) / D'une toute petite cellule (ah ah ah ah) / D'un parti qui n'existe pas (AH AH AH AH)». Quel bonheur alors que les machines célibataires: finis les conflits, les blessures. Quel plaisir j'ai eu à lire *La ville aux gueux* de Pauline Harvey: rien que le jeu et l'amitié entre célibataires, jamais de couples et de sexualité. L'oubli. Qu'est-ce qui en moi continuait à penser que si la cellule à deux est impossible c'en est fini du parti de l'amour. Qu'est-ce qui faisait que je continuais à jouer mon rôle: dans le mariage ce qu'il y a de plus fracassant, c'est le droit de l'autre à sa différence dans un espace commun. Toujours plus facile d'aimer qui je ne vois pas souvent, qui n'occupe pas à chaque jour la même maison que moi. Difficile d'aimer le prochain comme soi. Peindre en lettres bleues au plafond de ma bibliothèque cette phrase: «Seul celui qui a la force de s'attacher fermement à l'amour aime vraiment.» Et celle-ci: «L'amour est l'aptitude à déceler le semblable dans le dissemblable.» Garder dans mon cœur ces deux vers de William Blake: «Sous ce qui peine et chagrine / L'argent de la joie chemine.»

Ce matin les arbres sont la mer tellement le vent fort plie leurs panaches. Lumière dure d'un gris bleu sombre. Comme l'annonce d'une tempête qui emporterait l'indifférence du monde à la mort de la plupart. Ça souffle, ça tombe, ça craque. Personne ne sort. Cela est bon. «Nul ne sort plus des rangs pour danser sur le volcan, à moins qu'il ne soit *déclassé.*» Pendant combien d'années marcherai-je avec Adorno dans ma vie. Je parle parfois de lui à des étrangers rencontrés par hasard, quelques-uns me disent: «Est-ce que je pourrais le lire.» J'enseigne dans un collège où des jeunes s'ennuient quand leurs appétits de savoir sont déçus, sourient quand ils comprennent ce qui est à côté d'eux qu'ils n'avaient pas pensé. Parfois quand il n'y a pas assez d'yeux qui brillent je vais marcher au Jardin botanique pour me rappeler la leçon de variété de la nature.

Quand on lit un livre il ne sert pas à grand-chose de le résumer, de le réduire à quelque chose qui n'est pas lui. Si je lis c'est pour sortir du livre, le piller, qu'il me permette de continuer à penser ma vie qui n'est trop souvent que la vie qu'on me laisse. Le poète et le philosophe doivent souvent, comme les deux lièvres de la chanson qu'aimait Adorno, faire le mort quand le chasseur tire, et aussitôt après détaler pour montrer «qu'il y a encore de la vie». Adorno ajoute ceci qui n'est pas loin de la rédemption chrétienne: «La ruse des lièvres impuissants rachète le chasseur en même temps qu'eux-mêmes et lui escamote ainsi sa faute.» Dans le dernier fragment: «La connaissance n'a d'autre lumière que celle de la rédemption portant sur le monde: tout le reste s'épuise dans la reconstruction et reste simple technique. Il faudrait établir des perspectives dans lesquelles le monde soit déplacé, étranger, révélant ses fissures et ses crevasses, tel que, indigent et déformé, il apparaîtra un jour dans la lumière messianique.» J'aime ce messianisme parce qu'il ne se situe pas que dans l'âme dont les chrétiens font trop souvent une affaire uniquement intérieure, personnelle; ce messianisme est celui du judaïsme qui «a toujours et partout regardé la rédemption comme un événement public devant se produire sur la scène de l'histoire et au cœur de la communauté juive (Gershom G. Scholem, *Le messianisme juif*)». Ce que Nietzsche enseignait d'une façon héroïque dans *Ainsi parlait Zarathoustra*, Adorno l'enseigne à la façon d'un résistant qui fait sa part: l'éloquence de l'un, la rigueur de l'autre, disent que la vie ne vit pas.

La plupart lisent pour l'évasion ou le message. Qui fait la différence entre la distraction vide et le détournement radical, le discours convenu et la vibration d'une voix. «La décadence du don correspond de nos jours à l'incapacité de prendre, qui ne cesse de croître. [...] Car tout doit se passer suivant les formules anglaises du *relax* et du *take it easy*, empruntées au langage des infirmières et non à celui de l'exubérance. Le bonheur est une chose dépassée: il est

anti-économique. Car son idée, l'union sexuelle, est le
contraire de la relaxation, elle est tension bienheu-
reuse, comme tout travail assujetti est tension malheu-
reuse.» Aujourd'hui on dit «prends ça *cool*» et «il n'y a
rien là»: je n'y arrive jamais, dans ma bouche ces
phrases seraient un mensonge. Je pense au Swann du
film de Schloendorff qui pénètre par derrière une
prostituée en continuant à fumer son cigare, à mener
son enquête: la prostituée répond comme si elle était
en train de prendre le thé et paraît satisfaite à la fin du
nombre de billets de banque reçus pour les services
rendus. Univers froid, femmes et hommes efficaces et
gelés. Je pense aux élèves qui se fichent de l'enseignant qui voudrait les amener à autre chose qu'à
une répétition stérile de données, contents à la fin du
cours s'ils décrochent une bonne note sans avoir été
forcés de penser, de se casser la tête. Dans ma tête il
n'y a presque jamais de tranquillité: toute cette non-
pensée, tous ces refus de penser me rendent anxieux.
Des nuages dans le cerveau m'oppressent, me donnent des vertiges: comment vivre dans un monde si
indifférent à la mort tramée dans presque tous les
gestes. «Ceux qui étaient incapables d'assembler une
phrase véritable mais trouvaient chacune des miennes
trop longues, n'ont-ils pas liquidé la littérature allemande pour la remplacer par leurs productions?» Ma
délicatesse en m'empêchant de suivre la foule me fait
peur — la masse tolère-t-elle qui refuse de lui ressembler —, et ne m'aide pas à aimer qui pour avoir la
paix ne dit rien. La bêtise: le refus de l'autre pensant,
aimant. La pensée et l'amour agacent, dérangent. Ne
pas connaître, il n'y a pas de plus grande violence.
Presque rien n'est fait pour favoriser le connaître, le
naître dans la pensée-amour. Toujours l'affreux com-
mentaire dans la bouche de gens qui ont des di-
plômes: le gars qui boit sa bière, fume son joint,

regarde ses films porno, court les boîtes disco, est plus heureux que toi qui voudrais que toutes et tous pensent, aiment — veux-tu rendre tout le monde inquiet, angoissé.

Je regarde le linge qui sèche sur les cordes, le ciel bleu, les briques rouges, la clarté de cette belle journée d'octobre qui vient jusqu'à la table rouge où j'écris lentement pour faire un peu de clarté dans ma vie. Je pense à Pâque et à moi, corps tendus par la puissance érotique, corps durs, fous, heureux, qui réussissent assez souvent à surmonter la fatigue du monde. «Le monde s'en va en pourriture, il se meurt morceau par morceau (Henry Miller, *Tropique du Cancer*).» Ce monde qui s'émiette comment refuser de le sauver, de le prendre avec son cancer généralisé; la vieille idée de salut chante toujours en moi: comment abandonner le monde sans m'abandonner, je ne vis qu'au milieu du monde. Dans un monde de consommateurs, de survivants, il ne peut exister de «sujet social collectif»; il n'y a actuellement que des individus pensant-aimant qui soient capables de substituer au mécanisme fatigue-relaxation le couple création-récréation. Cette absence de sujet social collectif est responsable du vide communautaire, du repliement désolé ou arrogant des individus sur eux-mêmes.

«Les mots et les formes linguistiques altérés par l'usage arrivent mutilés dans l'atelier où s'est retiré l'écrivain. Mais ce n'est pas là que pourront être réparés les dommages subis au cours de l'histoire.» Adorno, comme Nietzsche, a toujours un intérêt vif pour la littérature et la musique, mais jamais il n'attend d'elles de grandes transformations historiques: l'artiste n'est que celui qui par le travail de son expression marque de la résistance à un monde alié-

nant soit en le mettant à nu, soit en rompant radica-
lement avec lui pour laisser entrevoir un autre
monde, une autre lumière. L'art parfois paraît seul à
porter les valeurs de justice et de justesse alors que la
raison des hommes d'État et des masses ankylosées
n'est plus que mensonge et grossièreté. L'art oppose
à la domination la contemplation, aux fins ration-
nelles «l'enchantement désenchanté», à la violence
du malheur la non-violence du bonheur, à la subli-
mation l'expression. L'art n'apporte pas de salut in-
dividuel — impossible sans le salut du monde —, il
est tout au plus consolation et amitié pour qui sait à
une époque où la plupart évitent de savoir, ne veulent pas être dérangés dans leur cauchemar climatisé.
«L'évidence du malheur tourne à l'avantage de ses
apologistes: comme tout le monde est au courant, nul
n'a à en parler et, sous le couvert du silence, les
choses peuvent suivre leur train.» Combien de critiques et d'enseignants sont capables de nous rendre
attentifs au travail de retournement des créations ar-
tistiques.

Dans les livres d'enfants il y a souvent des ani-
maux, est-ce parce qu'ils sont moins ternes que les travailleurs qui prennent le métro matin et soir. Dans les
revues d'hommes il y a souvent des femmes nues: est-
ce parce qu'elles sont plus désirables que les travailleuses fatiguées. Les enfants et les hommes fuient
le travail assujetti: une jeune femme ou un tigre ne de-
mandent qu'à être contemplés, ils sont le signe d'une
innocence, même en cage, qui fait rêver. «Il y a longtemps qu'il ne s'agit plus simplement de vendre ce
qui est vivant. Sous l'*a priori* de la communication, le
vivant en tant que ce qui vit s'est transformé en chose,
en bien d'équipement.»

Le caporal meurtrier: «Les réflexes prompts et sans résistance prouvent que le sujet a été complètement éteint.»

«L'humanité qui doute de sa possibilité de se reproduire, projette inconsciemment son désir de survivre dans la chimère des choses jamais connues, mais cette chimère ressemble à la mort.» Le «renoncement au désir d'avoir des enfants» qui s'étend des groupes intellectuels, riches, aux masses travailleuses peu scolarisées, pauvres, et l'attrait des choses occultes qui ne se limite plus aux milieux populaires mais gagne des intellectuels en mal de raison sont deux signes qu'on «évolue peu à peu vers la catastrophe totale» — l'usage des drogues serait à ranger du côté de l'occultisme: la plongée dans l'inconnu plutôt que l'ennui du connu. «Le culte du nouveau et, par conséquent, l'idée de la modernité, est une révolte contre le fait qu'il n'y a plus rien de nouveau.» La modernité qui a le culte du nouveau, je la nommerais plutôt, comme Henri Lefebvre dans *Introduction à la modernité*, modernisme, qui n'est qu'un formalisme de plus dans l'industrie culturelle; la modernité à laquelle je tiens est un effort en vue d'une construction critique du sujet: dans une telle posture on ne peut que lutter contre la mode, le sensationnel, l'original, l'occulte, la stérilité. Dans ce sens, ce qui est toujours neuf c'est la naissance d'un sujet, d'un individu qui a décidé de penser par lui-même, d'affirmer sa différence, d'ajouter sa voix à la polyphonie humaine de son milieu (une espèce de communion des saints composée d'hommes et de femmes de connaissance apparus dans ce milieu).

«Après des millénaires de rationalité, la panique s'empare de nouveau de l'humanité, dont la domina-

tion acquise sur la nature devenue domination de
l'homme excède de loin en horreur ce que les
hommes eurent jamais à craindre de la nature.» Le
grand dieu Pan est revenu, comment alors n'être pas
fidèle au Père Amour du rabbi Jésus et à la Mère Raison des philosophes des Lumières. Vivre d'amour et
de raison plutôt que de participer, ne serait-ce que par
le silence, au pouvoir qui entretient la panique et le
vide.

4

Christ. Est-ce que je peux dire Dieu, Père, comme Jésus. Si je n'ai pas d'admiration comme Kierkegaard pour Abraham prêt à sacrifier son fils, j'en ai pour Jeanne d'Arc, jeune femme guerrière qui ne craint pas de parler des voix qu'elle entend. Dieu quand l'entend-on, quand Jésus l'entend-il, comment peut-il l'appeler Père. Dieu, un mot qui ne passe pas facilement dans la bouche de qui je côtoie: la plupart de ceux qui ont fait des études supérieures ont gardé de l'enseignement religieux de l'Église catholique un souvenir amer. Moi non: j'ai été à l'école publique, à l'École normale, presque toujours avec des laïcs. Tôt j'ai entendu l'enseignement paradoxal de Jésus même quand le discours du prêtre tentait d'en gommer l'inouï. Qui est Jésus: un homme qui a eu envie d'incarner ce Dieu innommable qui demande qu'on ne serve aucune idole. Est-ce que je pourrais dire comme Wolf Solent: «Ce n'est que lorsque Dieu sera vraiment mort que l'on reconnaîtra vraiment le Christ. Alors le Christ prendra la place de Dieu.» Quand Jésus dit: «Mon Père travaille toujours et moi aussi je travaille (*Évangile selon Jean*)», qu'est-ce que j'entends. «Le Père relève les morts et les fait vivre et le Fils fait de même vivre qui il veut.» Pourquoi est-ce que je tiens tant à ce Jésus qui se présente comme fils de l'homme et Fils du Père, change l'eau en vin pour faire plaisir à de jeunes mariés, finit sur une croix entre deux malfaiteurs, voit les cœurs, parle à des inconnus, se retire au désert pour fuir les foules qui veulent un roi.

Un soir, je suis allé chercher Pâque dans un monastère bâti dans les bois, ça devait être l'automne, il ventait, à l'intérieur un chœur de femmes chantait, ce chant était comme une plainte de femmes égarées, et le vent dehors répondait à cette plainte. Pâque pensait s'y reposer et elle ne le pouvait pas. Ce chant noir je l'ai toujours dans l'oreille.

J'ai été plus d'une dizaine d'années en dehors de l'Église: mon esprit était plus satisfait à lire la trinité moderne, Marx, Nietzsche et Freud, qu'à écouter des sermons qui étouffaient la force de la parole de Jésus. Puis la maladie m'a jeté par terre assez violemment pour que j'aie envie de mourir. Pendant mes crises de névralgie migraineuse, qui arrivaient à la fin de la nuit, j'essayais de lire pour oublier la douleur mais tous les livres me tombaient des mains jusqu'à ce que je prenne *Le chrétien Bernanos* de Hans Urs von Balthasar; dans une dédicace à une amie, Bernanos écrivait: «[...] spécialiste de la Joie, je réussis assez bien les agonies. Puissé-je ne pas rater la mienne!... Puissiez-vous y être présente, et recueillir quelque chose de mon premier regard sans tristesse, de mon premier regard entr'ouvert sur ce que j'ai tant désiré.» À cause des propos de Bernanos qui me rejoignaient, j'ai été amené à retourner dans l'Église, à lire le *Nouveau Testament* dans la traduction de la Bibliothèque de la Pléiade: quel effet de lire les Évangiles non découpés en morceaux avec des titres-résumés, d'en sentir tout le mouvement. Je n'ai pas retrouvé la prière ou plutôt je ne sais pas ce qu'est la prière: les prières de l'enfance n'étaient-elles que des formules, des incantations. Je ne pense pas: il me semble qu'il y avait quelques phrases qui se détachaient, prenaient sens. «Toi quand tu pries, entre dans ta resserre, ferme ta porte et prie ton père qui est dans le secret, et ton père, qui voit dans le secret, te le rendra. / Dans vos prières, ne rabâchez pas comme les païens. Ils croient qu'avec leur bavardage ils seront exaucés. / Ne soyez donc pas pareils; car votre père sait de quoi vous avez besoin, avant que vous lui ayez demandé (*Évangile selon Matthieu*).» Ma prière, si elle existe, est muette. Je suis content d'avoir été malade: la maladie rend humble en vous donnant à toucher à votre mort, celle-ci vous amène à faire le tri dans vos gestes, vos valeurs, les miennes étaient toutes du côté de l'intelligence critique-créatrice, maintenant il en va autrement, non pas que je n'aime plus l'intelligence, mais sans la communauté elle ne m'intéresse pas. Prier j'imagine que c'est sentir la communion, les liens qui nous unissent les uns aux autres. Le dimanche le plaisir que je prends à la petite marche pour me rendre à l'église, j'imagine que je me rends à une clairière où ma vie va me paraître plus lumineuse ou sur une montagne où je vais m'entretenir avec un ami ou une amie, efface l'agacement que j'ai parfois à entendre un sermon qui me paraît faire fi des béatitudes.

Julienne dans *L'ampoule d'or*: «Je marche, je marche pour, à la longue, dépasser mon abattement ou mes révoltes, les abandonner en arrière de moi. Les yeux fixés sur la colonne de feu, remplis de foi, les Juifs s'enfonçaient dans le désert. Ma colonne de feu à moi, ce sont encore les félicités terrestres; quand elles me manquent, je n'ai plus que le goût de m'effondrer sur le sol et de mourir.» Le choix n'est pas entre Dieu et le monde, il est plutôt entre un monde avec Dieu et un monde sans Dieu. Une foi coupée du goût de la terre et un monde coupé de l'invisible sont deux postures qui ne me conviennent pas, je suis gourmand: je veux les caresses de la Mère-Terre et les paroles du Père-Amour, le ventre de ma mère et l'oreille de mon père.

L'invention de Dieu crée la distance et la proximité nécessaires pour que l'amour circule entre les êtres. Dieu ou le grand analyste, la grande oreille bienveillante. Qui prier, m'écrit un ami. Une telle question conduit à une impasse. Le «qui» veut maîtriser ce qui ne peut l'être. Prier c'est marcher vers ce lieu où je sens le lien mystérieux qui m'unit à l'autre, à tous les autres. Qu'est-ce que j'écoute quand quelqu'un me parle.

J'achève les deux livres des *Matinales*, de Jean Sulivan. Ça fait plus d'un an que j'avance lentement dans cette parole y cherchant aiguillon et consolation, j'ai abandonné deux, trois fois, je suis revenu. Quelque chose de sauvage, et dans le milieu de cette sauvagerie, de la douceur, de la détresse qui s'embrassent. Il écrit le matin, seul à sa table de travail. Il lit des poètes. Il aime la pauvreté, la fidélité à soi, cite Thoreau: «Si je ne suis moi qui le sera?» Comme lui je passe une bonne partie de ma vie à lire, écrire, parler, penser, c'est mon champ à labourer, à ensemencer, ni plus grand ni plus petit que les autres champs, le mien. Il ajoute après Dieu «s'il existe». Ses amitiés sont violentes, souvent brèves, c'est un célibataire, un prêtre catholique; mes amitiés je les voudrais douces peut-être parce que je suis marié, engagé dans un amour durable, et deux enfants ont diminué ma sauvagerie. Il aime les rebelles, ne fait partie d'aucun clan, a écrit des romans — j'ai aimé la tendresse dure de *Joie errante*. Je suis arrivé à Sulivan au milieu de ma fatigue: presque tout ce que j'entendais me hérissait, me donnait envie de fuir, de me mettre en colère. J'ai ouvert *Matinales*, j'ai commencé à reprendre haleine.

Un rebelle m'a redonné mon héritage chrétien. À cause de lui j'ai découvert Marcel Jousse, Jean Déchanet, Maurice Bellet.

Va où ton cœur te mène, dit Déchanet. Mais quand la peur est au fond de ton cœur depuis longtemps, c'est la peur qui te mène, comment dire *Oui à la vie*. Oui à ces femmes, ces hommes de chair, oui à ce dieu souffle, ce dieu buisson ardent, à l'amour du prochain comme soi-même auquel Iahvé convie Moïse, au «Aimez vos ennemis» de Jésus. Je ne suis pas toujours capable de ce oui; la haine et la rage me traversent parfois, je fais alors le jeu de l'Ennemi, je ne sais plus ni donner ni pardonner.

Tout ce qui suit s'écrit dans les marges du *Christ* de Maurice Bellet qui porte en exergue une phrase de l'Évangile selon Jean: «Or la tunique était sans couture, tissée d'une pièce à partir du haut.» Dieu est-il cette réalité qui permet à ma vie de n'être plus déchirée-déchirante, cette source en amont qui vainc la mort partout étalée dans notre monde: «la déchirure est une horreur *sans nom*. Comment parler de Dieu dans un temps où les savoirs sont animés par la raison, le progrès, la science, le désir. Bellet ne nie pas la modernité, il en pousse la création, la critique, il veut l'insaisissable amour plutôt que «la folie du meurtre». L'amour est écoute, accueil, foisonnement de la vie; le meurtre est violence, séparation, mort de la vie. «Il m'est venu, dans cette petite rue de Dinan, sous le soleil, la pensée que c'était là, tout près, sous la main; mais prodigieusement caché parce que précisément trop visible.» C'est toujours la même histoire: on court après tout, espérant trouver quelque chose, mais on ne trouve rien parce que jamais on n'a su ce après quoi on courait. Nous sommes devenus des hommes d'affaires pressés, efficaces, nous avons enterré depuis longtemps nos pères, paysans tranquilles luttant avec les éléments, suivant le rythme des saisons. Cela n'a pas de sens de perdre une heure le dimanche à aller entendre de vieux textes; les églises des paysans sont devenues des monuments historiques que nous visitons pendant nos vacances.

Beaucoup de phrases m'ont traversé, peu sont restées dans ma mémoire, mais des phrases des évangiles n'en finissent pas de m'habiter: «Que celui qui a deux tuniques partage avec celui qui n'en a pas; et que celui qui a de quoi manger fasse pareil (*Évangile selon Luc*).» Pourquoi. Parce que les propos de Jésus m'apparaissent plus stimulants que ceux que j'entends, plus neufs. Ma grand-mère entasse draps et couvertures dans ses armoires, je rêvais d'accumuler beaucoup d'argent; Jésus ouvre les armoires, s'inquiète peu de l'argent. Comment ne pas partager avec qui a la même faim.

«Ce que je pourrai en dire [du Christ] sera comme un sentier dans la forêt. Il faut sortir du jardin clos, dont on s'imaginait propriétaire.» Je pense parfois que si l'Église vendait presque toutes ses églises pour n'en garder qu'une par ville, et que cette église ne soit pas coupée en deux par une balustrade, qu'on la pense comme un lieu de rencontre, d'enseignement, que le texte ancien qu'elle a pour mission d'enseigner serait plus pierre vive. Qu'y a-t-il de commun entre un rabbin de trente ans qui parcourt la Palestine pour annoncer l'amour du prochain et de vieux prêtres répétant leurs sermons dans des églises presque vides. Qui ressemble au jeune rabbin: le monseigneur dans tous ses atours hiérarchiques qui veille à la doctrine, ou la chanteuse rock qui court les villes pour crier l'amour, ou le prêtre Bellet qui à soixante-sept ans continue à inviter à une parole créatrice et critique, ou la franchise affranchissante de Jacques Ferron, ou...

Bellet dans ses livres (*La voie*, *L'épreuve*, *L'écoute*, *Christ*) tire profit de l'écoute flottante de l'analyste et de la parole libre de l'analysant: sa «façon d'aller correspond aux premiers pas que nous pouvons faire pour une connaissance plus réelle de nous-mêmes, et qui n'est point de réfléchir ou de disserter sur nous, mais de laisser venir, laisser se dire ce qui est en nous». Voie plus difficile qu'on peut le croire: comment laisser dire ce qui est en moi s'il n'y a en moi aucune connaissance de ce qui s'est dit avant moi, si je n'ai pas réfléchi à ma vie. La simplicité et l'ouverture de Bellet peuvent être trompeuses: elles arrivent après beaucoup d'études, de réflexions, de livres-traités. Peut-être que l'homme d'études n'arrive à l'abandon qu'après la retenue, qu'après avoir senti que la retenue n'était que violence, durcissement, que la concertation de son argumentation passait à côté de l'ouverture du poème. Tout à coup il n'y a plus rien à protéger, défendre, on a seulement envie d'une main nue, d'une parole singulière. «J'étais en vacances en Bretagne, de passage à Dinan. Je remontais à pied la petite rue à forte pente, qui va du port sur la Rance à la ville haute. Et je songeais.» Pourquoi songer sinon parce qu'on n'est jamais en vacances, qu'il y a un travail toujours qui se fait, une marche avec tout ce qui arrive dans les grandes marches: détours, pertes de temps, éclaircies, clairières, chemins escarpés, dédales de rues, il faut arrêter, reprendre son souffle, on est arrêté et ça marche encore au fond de soi.

«Il est le Messie, l'Oint du Seigneur (c'est le sens du mot "Christ"), l'accomplissement des promesses

d'Israël et le Sauveur du monde.» L'oint du Seigneur:
le fils reconnu par le père — «celui-ci est mon fils
bien-aimé», le fils témoin du père — «ce que vous
faites en mon nom vous le faites au nom du Père». Jésus, prénom hébreu: Dieu sauve. Le nom de Jésus-
Christ est bénédiction, la croix où il crie est misère,
non pas choisie mais traversée.

Quand je pense à Jésus-Christ je pense à quelqu'un habité par le souffle de Dieu. Dieu c'est personne, Dieu ce n'est pas trois personnes: plutôt une
force amoureuse d'origine inconnue qui tient de la lumière. Quand cette force nous est-elle donnée: par le
regard de l'autre, dans le vertige qu'il y a à regarder
l'autre, à voir l'autre me regarder, il y a entre moi et
l'autre quand ce regard est là des traînées noires et
des flaques bleues, du feu et du ciel — vieille images à
l'ère des centrales électriques et des avions supersoni-
ques, je n'en ai pas d'autres.

«L'universalité réelle tend à être celle de la "communication médiatique", c'est-à-dire un épuisement
de la parole.» Je sais ça depuis longtemps à mon incapacité à lire les journaux, écouter la radio, regarder la
télévision, jouer avec l'ordinateur; je serais incapable
de vivre dans une maison où ces médias déverse-
raient sans cesse leurs informations. Ce qui me tient
debout: le poème-création, la pensée-critique, la
conversation-amitié.

Comment nommer Dieu, l'Un. Il semble bien
qu'aujourd'hui il n'y ait que le silence. Il n'y a plus de
chemin, dit un ami; je dis: il n'y a pas d'abri. Il y a un
chemin: par l'écoute. D'abri il n'y en a pas. Alors
quoi. Ou qui. Qui ferait de Dieu un abri ne saurait pas
ce qu'il fait: le meurtre de Dieu. Dieu n'abrite pas, il

est le feu en haut de la montagne, le vent qui apporte la voix. Je ne peux pas dire: je crois ou je ne crois pas en Dieu. Tout ce que je peux dire: la parole du jeune rabbin Jésus rapportée dans les Évangiles me secoue. Quelque chose passe à travers sa parole et sa mort: on a mis à mort qui voulait l'amour du prochain (le prochain avec lui devenait trop proche, intolérable: le culte dans le temple avec toutes ses distances est plus confortable). Jésus n'a jamais dit la messe à chaque jour: il se retirait pour prier, méditer les paroles anciennes, écoutait, et parlait à son tour.

Portrait de notre monde. «Délire de l'universel, réduit à l'argent; du progrès, identifié à l'expansion, à l'accroissement de la production hors de toute raison; de la science ramenée au produit intellectuel; de l'amour, réduit à la chose-sexe, qui se vend. Prostitution généralisée — voyez la publicité. La pensée confinée dans les exercices du calcul; en vérité, l'anéantissement de la pensée. La guerre partout, sous le couvert de l'idéologie — ou de la joyeuse concurrence. La répétition du même spasme, sous l'allure du toujours différent.» Un monde *hot* qui est tellement froid, un monde plein qui est tellement vide, alors de bonnes âmes cyniques ont mis sur le marché des modes d'emploi pour ne pas rater son suicide. Comment n'être pas malade dans un tel monde: après avoir tué le Père, on va pleurer la Mère dans les bureaux des analystes. Comment se sortir d'une aussi triste histoire de famille: les excitants et les soporifiques (il est parfois difficile de les distinguer: drogue, sexe, spectacle, alcool, argent, télévision, médicaments) sont les issues de la plupart. Comment appeler issue ce qui est impasse.

Comment écouter le vide du monde, notre solitude. Ne faisons-nous pas tout pour les raturer. Pas tous cependant. Il y a quelques poètes qui font le portrait de notre détresse, allez lire Jacques Brault: «Je parle, Personne, de choses perdues. Sans ça, je ne parlerais plus (*Il n'y a plus de chemin*).» Qui va au bout de sa solitude a des chances de rencontrer quelqu'un. Qui est prêt pour la traversée, prêt à s'embarquer, faut-il se sentir comme Ishmaël: «Quand je me sens des plis amers autour de la bouche, quand mon âme est un bruineux et dégoulinant novembre, quand je me surprends arrêté devant une boutique de pompes funèbres ou suivant chaque enterrement que je rencontre, et surtout lorsque mon cafard prend tellement le dessus que je dois me tenir à quatre pour ne pas, délibérément, descendre dans la rue pour y envoyer dinguer les chapeaux des gens, je comprends alors qu'il est grand temps de prendre le large. Ça remplace pour moi le suicide.» Le monde est plein de tristesse et de meurtre et on s'embarque. L'alternative est la suivante: ou je risque la traversée pour avoir raison de la mort en allant couper sa racine, ou j'oublie qu'on peut traverser. Ishmaël dit: «Chaque homme, à quelque période de sa vie, a eu la même soif d'océan que moi.» Bellet: «L'être humain est parole: gestes, mots, écriture, et déjà la simple présence, le visage, la voix, le corps entier. C'est à la fois un océan — l'immensité incernable des paroles humaines — et ces paroles singulières, ouïes et dites, dont quelques-unes, sans doute, sont inaugurales; elles parlent où je nais. Mais elles-mêmes sont dans l'immense, elles ne viennent à moi que dans le jeu infini de la parole, sans que je puisse définir d'avance par qui elles seront dites ou circonscrire le lieu.» Ishmaël, Bellet, moi, à la recherche de quelque chose ou de quelqu'un qui va laver l'amertume née du confort indifférent à la misère, de la résignation de trop d'hommes et de femmes.

Le corpus des textes de la Bible: «Il s'entend *dans* tout ce qui se dit, à partir de lui, sur lui, en lui: commentaires, méditations, œuvres. [...] on ne peut l'isoler ni le traiter en lui-même comme le dire d'un seul ou un dit au neutre: il éveille le grand chœur des paroles humaines. Il n'est point thèses, savoirs achevés, mais entrecroisement plein de trous et d'absences, mouvement lancé qui reste en suspens. En lui la parole évoque la parole.» C'est ça qui est beau dans la Bible, ce n'est pas un livre, mais plusieurs livres: livres de la Loi, livres historiques, livres de chroniques, livres prophétiques, livres poétiques, livres sapientiaux. Notre erreur a peut-être été de remplacer la Bible par l'Encyclopédie des philosophes des Lumières; la Bible, lieu des mouvements de l'âme, de ses tourments, a été remplacé par l'Encyclopédie, compilation des savoirs de l'homme, travail de sa raison classificatrice. L'âme était insaisissable comme le Dieu qu'elle craignait, la raison prétend tout saisir: ce qui est perdu et qui est tout proche, c'est l'âme; ce qui triomphe et qui est de plus en plus loin du visage de l'homme, de la femme, c'est la rationalisation. La Bible se tient près du poème, souffle de la parole, l'Encyclopédie fuit le poème, impose sa raison à toutes les définitions.

«Chacun vient par le chemin qui est sien; ou ne vient pas.» Le chemin de Jésus: naissance dans un monde accueillant et hostile, jeunesse tranquille dans un petit village, rencontre de Jean le Baptiste, retournement à la suite de cette rencontre et d'une retraite au désert: de la vie de charpentier à celle de prophète, courage de son enseignement qui va contre l'ordre établi. Naissance, apprentissage, rencontre, retournement, courage: dire oui à la vie qui m'appelle, accep-

ter ma voix, avancer dans la voie qui est mienne —
l'importance de la rencontre: un homme ou une
femme me croise et ma vie en est toute retournée, ce
qui était caché apparaît.

L'écoute fait advenir une parole inaugurale plus
forte que celle de papamaman, qui remonte plus loin:
là on me fait le don d'une «naissance heureuse», je
connais la «jubilation d'exister». Qui «on». Un jeune
rabbin guérit les malades, n'exclut personne (quand il
se met en colère c'est contre ceux qui classent les
êtres, excluent les indésirables qui ne respectent pas
leur loi); les autorités le font tuer à cause de tous les
déplacements de foules, de valeurs, qu'il provoque.
Quel visage a aujourd'hui le jeune rabbin: Simone
Weil, mère Teresa, Colette Magny, tel homme, telle
femme, qui croisent ma vie, la font apparaître.

«L'écoute pure et la pure création vont ensemble. La parole que je dis n'est point soumise au
texte comme à ce qu'il faut commenter, expliquer,
dilater, appliquer, justifier — c'est là méconnaître le
principe d'écoute»: «il est vain, paralysant, de vouloir d'abord comprendre, a fortiori *tout* comprendre.»
Sottise de tous ceux qui ne lisent que pour être in-
formés, comprendre, rareté de ceux qui lisent pour
se laisser prendre, s'éveiller, se mettre à parler à leur
tour.

J'ai commencé à lire Bellet en 1986 à cause de *La
voie* dont le titre me rappelait le *Tao tö king* que j'avais
beaucoup aimé. Bellet n'a pas la limpidité de Lao-
tseu, il a lu les philosophes modernes, l'abstrait pour
lui est concret. Ces livres sont ceux d'un homme
d'étude qui tente de voir clair, de dire le chemin que
prend en lui le travail de vérité, d'un chrétien pour

qui le Christ n'est pas un pouvoir (celui d'une Église), mais un éveil, la voie de l'éveil. Les livres de Bellet sont pour qui a beaucoup étudié. Lao-tseu veut téter sa mère, c'est un enfant qui se promène dans les vallées et les montagnes; Bellet veut parler à partir du Père, c'est un enfant qui a été dans les écoles longtemps, il y est encore comme enseignant. Nous n'avons plus de nature, habitants des villes, que nos corps, nos visages: nos bouches sont nos lacs, nos paroles l'eau qui tremble, nos yeux sont nos étoiles, nos regards la lumière qui touche. Je ne me demande pas: les Évangiles ou le Tao; chacun son chemin. Dans ma vie il y a eu d'abord les Évangiles, le chemin de l'insaisissable passe par là pour moi, par ce Jésus qu'on a mis à mort, non pas mort glorieuse, mais mort infamante. Ses dernières paroles sont selon Matthieu et Marc, «mon Dieu, mon Dieu, pourquoi m'as-tu abandonné?», selon Luc «Père, je remets mon esprit entre tes mains», et selon Jean «C'est fini.» Je ne crois pas à la version Walt Disney de Luc; la version de Matthieu et de Marc est peut-être un déplacement: «mon Dieu pourquoi l'avons-nous abandonné»; la version de Jean me paraît juste.

Ce matin je reçois une lettre d'une amie: «je lis quelques livres lentement. la théologie, la philosophie n'ont plus d'attrait pour moi. je sens une impuissance chez le philosophe, le théologien — le mur transparent/étincelant du "non-savoir" toujours aux marges de la logique, de la raison comme structure». Je pense à des vers des *Élégies de Duino*: «On perd le goût de la douceur terrestre, tout comme on devient trop grand pour la douceur du sein maternel. Mais nous / qui avons besoin de grands secrets, nous / pour qui le deuil est souvent le départ d'un essor heureux: / pourrions-nous nous passer d'eux?» À la fin du mois je reprendrai mon enseignement, il me faudra parler à des gars, des filles de dix-huit ans, la plupart du temps loin du poème: si je commençais mon cours en leur disant ces deux vers de «La Chanson du Mal-Aimé» d'Apollinaire que me lisait hier Catherine en riant: «Ta mère fit un pet foireux / Et tu naquis de sa colique». Voilà je pense à tout ça, j'écris, à l'ombre du sous-sol (d'autres pendant ce temps ont repris le travail ou se laissent prendre par la mer, ou ouvrent le miroir d'un lac), à partir de la parole d'un autre qui éveille la mienne, un autre qui comme moi s'avance lentement dans des livres d'hommes ou de femmes attirés par la question de la vérité et le nom de Dieu (la vérité excède la raison, Dieu excède la religion). Je pense aux corps nus de ma mère et de mon père: que me sont cette femme de soixante-huit ans, cet homme de soixante-neuf ans. Les Juifs entraient nus dans les chambres à gaz: on entre toujours nu dans la mort. Quand on enseigne on ne peut pas se tenir toujours au milieu du poème, on ne peut qu'y tendre toujours en accompagnant les élèves aux limites de la raison, là où le poème la retourne, transforme le savoir qui voulait comprendre en voix qui tremble de toute la vie autour et en dedans. Si je suis toujours attiré par les philosophes et les théologiens c'est que je veux connaître de plus en plus clairement les façons de marcher de la raison pour l'amener à danser, c'est que j'ai à enseigner à penser, à écrire, à tenir par le travail de pensée-écriture une parole libre. Les structures m'intéressent mais elles sont à dépasser: si l'argumentation philosophique (ou théologique) ne conduit pas à la création, à l'ouverture du poème, elle ne m'est d'aucune utilité.

«L'entrée est ailleurs, du côté du silence et de la présence, du côté du corps, où la parole donne, au lieu de réclamer.» La plupart des enseignants supportent mal le silence en classe: il faut que ça parle. J'aimerais assez donner des cours de silence où il n'y aurait que présence des corps, regards, sourires, sommeils: dans cette distance la parole naîtrait étonnée de sa naissance heureuse.

Agapè et Éros. Le premier: repas des amis qui s'aiment d'amour, se nourrissent l'un de l'autre. Le second: plaisir des amants qui se caressent d'amour, jouissent l'un de l'autre. Les anges et les lézards.

La source qui donne la vie est invisible, insaisissable: «Il importe qu'elle soit invisible! Sinon quelqu'un va s'en faire le maître.» «Le plus que nécessaire, nul n'en dispose, ni pour soi ni pour autrui. Nul ne peut l'expliquer à quelqu'un d'autre ou l'y contraindre ou l'y mener ou l'y tenir par ses procédés, quels qu'ils soient.» Qui comprend cela en a fini avec l'orgueil en lui, sent pourquoi l'humilité est une force, comment l'humilité n'est pas humiliante pour l'homme, qu'elle est au contraire l'essentiel humus.

«L'individualisme est concurrence à mort, parole barrée, étouffement de beaucoup (du plus grand nombre?) dans un destin clos.» L'amitié est partage à vie, parole confiante, éveil de chacun dans un chemin ouvert — «la liberté dont nous avons besoin, c'est la liberté *dans* la filiation.» La solitude ne m'intéresse pas: c'est la rencontre que je désire.

«Car la différence parue en la voie est *précisément cela*: que le sans-voie a droit d'être: que le pauvre, l'humilié, l'exclu, l'homme de péché, le possédé, l'impur est l'égal et peut-être le préféré. Il l'est dès *maintenant*.» J'ai toujours aimé la parabole de l'enfant prodigue, toujours été un peu joyeux de la colère du frère aîné qui n'a pas joué sa liberté par calcul. J'ai parfois été ce frère aîné, j'aimerais bien ne plus l'être: qu'en est-il de l'enseignant qui fait respecter la loi de son cours à ses élèves, le père qui fait respecter la loi de sa maison à ses enfants, l'homme qui fait respecter la loi de sa vie à sa femme — comment accorder la nécessité de la loi avec la force de la liberté: la loi n'est bonne que de l'avoir éprouvée librement, la loi n'est bonne que d'être douce aux êtres, que de ne pas étouffer le chant de la vie: «la voie, cette différence qui ne se connaît que d'aimer son prochain en sa voie même, en cette part de lui où je n'atteindrai jamais — elle est l'insaisissable en lui.» Je pense à la jeune Maccabée de *L'heure de l'étoile*, de Clarice Lispector.

Le nouveau n'est pas à craindre quand il est comme les nouvelles pousses d'un arbuste, quand il est bataille engagée contre ce qui étouffe: «qui n'invente pas est condamné à se soumettre; le train du monde l'absorbe. C'est pourquoi tous les préservateurs du passé et mainteneurs de quelque chose sont seulement les fossoyeurs de ce qu'ils vénèrent.»

«Qui change le langage change tout»: l'économiste ne voit pas le réel comme le poète, l'architecte ne voit pas l'espace comme le prisonnier.

Les bébés ne sont pas salués avec joie: notre sang est trop plein de violence. Les jeunes sont seuls, inquiets. Les adultes se séparent, perdent leurs emplois, vont chez les psy. On parque les gens âgés ensemble pour ne pas voir sur leurs visages la mort qui vient. Nous marchons dans ce monde.

Parfois je dis à mes enfants à table «ceci est mon corps, mangez-le, ceci est mon sang, buvez-le»: Catherine dit «franchement papa». Pourtant c'est ainsi que je comprends la communion: un repas où nous nous nourrissons de la chair de l'autre.

«Et il est vrai que s'approcher du simple par la clarté du cœur est la simplicité même; mais si c'est par le travail qui traverse les épaisseurs énormes de la généalogie, ce sera le long et lourd labeur dans l'écheveau emmêlé.» Pour l'homme d'étude la clarté ne se gagnera qu'à défaire la prétention du savoir à tout expliquer. J'envie les femmes enceintes, je soupçonne que donner naissance à un nouvel être contient une leçon qu'aucune bibliothèque, si savante soit-elle, ne donne; dans l'épaisseur du placenta, dans ce gâteau partagé entre la mère et l'enfant, il y a le très nécessaire amour sans quoi la vie n'a pas de saveur. J'ai fait de ma bibliothèque un énorme placenta, un vaste océan, un gâteau immense, c'est mon ventre, infiniment plus précieux que ma tête parfois migraineuse, étourdie, lourde.

Quand on tue, c'est toujours l'amour qu'on tue, la peur de la vie qu'on augmente. On met à mort Jésus et les apôtres se cachent.

«La parole va de la bouche à l'oreille, le mot aimant, c'est-à-dire véritable, va du corps entier au corps entier.» La parole de l'autre est avant tout la présence de son corps, après, bien après, la pellicule des phrases. Dans un film pornographique une dizaine de corps nus font une espèce de petite pyramide, comme Shade en décrit dans ses livres, où les bouches, les vagins, les pénis, les anus, les doigts sont actifs; remonte une vieille image horrible: une souris morte transportée par des milliers de vers. Pourquoi. L'intolérable vide, creux: la

vie grouille (les corps, les vers) mais c'est pour trans-
porter la mort (le film, la souris). Quelques images de
films pornographiques, et c'est assez pour savoir comment la parole peut être bien plus qu'une pellicule: la
parole d'amour donne, unit, le film porno exploite, sépare: le corps sans âme est grande tristesse.

L'amour premier: «Ce n'est pas la passion — qui
est anxieuse, avide, jalouse, inégale, tourmentée. C'est
bien plus fort. [...] On y donne ce qu'on n'a pas, on le
reçoit de le donner. Il n'y a plus d'opposition entre ce
que je cherche pour moi et ce que l'autre me demande: tout coïncide. Il n'y a pas d'interdit: l'amour
est sa propre loi, qui est sûre, et toujours sait
l'éloigner du seul mal, qui serait sa mort.» Tous les
derniers livres de Bellet répètent le même travail: faire
apparaître l'amour, défaire la tristesse, que ce soit
dans le désert de l'âme (*La voie*), la chambre du malade (*L'épreuve*), le bureau de l'analyste (*L'écoute*), le
monde moderne (*Christ*). Trois degrés d'amour: le
préférer à la mort, s'engager sur son chemin, toucher
à la paix où se «rejoignent l'extrême pudeur et la liberté parfaite».

«D'où peut venir que ce qui est évident ne le soit
pas?» Que la folie du meurtre sépare, que la sagesse
de l'amour réunit, que le meurtre est péché, que
l'amour est grâce. À l'origine il y a la parole de lumière, la paix de la création, et vite il y a la ténèbre du
chaos, le vide du monde. Les vers de «L'octobre» de
Miron: «nous avons laissé humilier l'intelligence des
pères / nous avons laissé la lumière du verbe s'avilir
/ jusqu'à la honte et au mépris de soi dans nos frères
/ nous n'avons pas su lier nos racines de souffrance /
à la douleur universelle dans chaque homme ravalé»
— le Christ l'a su, c'est pourquoi il est toujours vivant

dans la mémoire de ceux, de celles, qui mettent l'amour à l'origine de tout.

«L'homme du Christ veille.» Bellet dans son livre ne parle presque pas du Christ, ne cite presque pas les Évangiles, et pourtant il n'est question que de lui, comme du noyau qui pourrait forcer notre modernité à préférer l'amour-vie au calcul-mort. Quels jeunes vont encore entendre parler du Christ. Les chrétiens vont devenir à nouveau des hommes souterrains comme dans les premiers temps de l'Église: les grandes églises vides vont être mises en vente. Je n'ai pas fini de penser à travers Jésus. «Que peut-il sortir de bon de Nazareth?» demande Nathanaël dans l'*Évangile selon Jean*. Que pouvait-il sortir de bon d'Assise ou de Skoppe.

«Moi aussi j'allais jadis à l'église. Il est vrai que je choisissais le moment où elle était vide, parce que je trouve injurieux et blessant d'assister aux simagrées que font des gens hirsutes et rapaces. Mais j'avais parfois la chance de trouver dans l'église ce que je cherchais en vain dans le monde (Alexandre Blok, "Confession d'un païen")». La plupart des églises aujourd'hui sont barrées, on ne les ouvre qu'à l'heure des messes, sans doute parce qu'on craint le vandalisme, que des vagabonds viennent y dormir, des jeunes s'y embrasser, que l'on n'a pas les moyens de payer un gardien (le plupart des églises sont en déficit: il n'y a plus assez de fidèles pour les entretenir). Si elles étaient ouvertes, des gens fatigués de tout pourraient peut-être y trouver une retraite, chercher une autre présence, invisible. Nous ne pouvons entrer à l'église qu'à l'heure des messes, et celles-ci parfois sont de bien mauvaises répétitions du dernier repas que Jésus prit avec ses apôtres. Je pense à des églises toujours ouvertes où nous pourrions entendre une autre parole, ancienne et toujours neuve, comme une brise amoureuse.

5

Parce qu'elle se bat, lire Claire Lejeune. Dans la lettre d'un ami: «Lis-tu toujours ses livres? Je t'avoue que je n'en ai terminé aucun. Cela m'a toujours paru mou et emberlificoté.» Je viens de lire en trois coups *L'issue*: quelques pages lorsque Claire me l'a donné à l'automne quatre-vingt ensuite jusqu'à la page 178 à l'hiver quatre-vingt-deux et la suite cet hiver, l'hiver quatre-vingt-dix. Mou et emberlificoté, jamais ces mots ne me seraient venus à l'esprit pour parler de Claire Lejeune. Ces livres sont résistants et clairs (pour moi, bien sûr); je pense à ces deux jugements qui m'avaient fait sourire à propos des *Roses sauvages*: un homme disait «un petit livre dur et brillant», une femme disait «un Jacques Ferron comme je les aime: humain, chaleureux», je suis du même avis que la femme mais je me doute bien que l'homme avait de bonnes raisons de dire ce qu'il a dit, que ces bonnes raisons étaient liées à sa biographie, au moment de sa lecture. Je ne connais pas les raisons de mon ami: je pourrais en imaginer quelques-unes mais au lieu de cela je veux tenter de dire pourquoi je lis Claire Lejeune. Parce qu'elle ne laisse pas la mort l'abattre, parce qu'elle croit qu'il vaut mieux avoir plusieurs idées que pas d'idées. Je la lis quand ça ne va pas: si j'en juge par les dates cela arrive l'hiver quand les nuits sont trop longues, l'éclat de la neige trop bref. Je la lis pour m'aider à remonter la pente de la tristesse, je la lis pour me redonner du corps quand je me sens amolli parce que ma vie est tout embrouillée, que j'y suis tout empêtré. Elle a publié son premier livre à trente-sept ans. L'écriture est arrivée dans sa vie pour lui donner sa jeunesse, sa langue verte. En quinze ans il y a dix livres de poèmes, d'aphorismes, de notes, de lettres, de photographies: toujours le même combat pour la vie, l'amitié. Je mets son nom à côté de celui de Maurice Bellet, les deux sont venus à l'écriture à la fin de la trentaine: en 1963 il publiait *La force de vivre* et elle publiait *La gangue et le feu*. Maintenir le feu-amour, la parole-poème pour que la vie ne sombre pas dans le chaos, le vide. C'est toujours ça qui est dit, c'est toujours ça que j'ai besoin de lire pour ne pas l'oublier. Les livres de Lejeune et de Bellet ne cessent de forcer notre modernité à penser l'ancien, la source — pour l'une Orphée, pour l'autre le Christ. Je les suis parce qu'ils me donnent une histoire, une durée. Orphée et Christ avec elle et lui ne sont plus des entrées dans le dictionnaire ou l'encyclopédie, mais des noyaux d'énergie qui traversent les siècles. La païenne Claire, le chrétien Maurice: même faim, même entêtement à trouver des chemins de vie.

«La Quadrature», «L'Analphabet», «L'Issue»: ce sont les trois parties du livre. Un grand livre cousu et non coupé comme l'étaient les anciens livres. Un beau papier blanc cassé. Au milieu du livre seize photographies de formes vivantes pour apprivoiser le chaos, la nuit: c'est «L'Analphabet». Le livre s'ouvre avec le texte de Rimbaud: «Quand sera brisé l'infini servage de la femme, quand elle vivra pour elle et par elle, l'homme — jusqu'ici abominable — lui ayant donné son renvoi, elle sera poëte, elle aussi!» et une photographie où nous voyons une ouverture lumineuse: «*Je n'ai pas défoncé le mur de la chapelle pour pouvoir faire école, sinon buissonnière.*»

«Le seul pays d'où je me sente issue, où je veuille arriver, c'est le réel.» Mâcher cette phrase. Répéter à propos du réel la mise en garde de Rimbaud à propos du nouveau: «En attendant, demandons au *poëte* du *nouveau* — idées et formes. Tous les habiles croiraient bientôt avoir satisfait à cette demande: — ce n'est pas cela!» Pas de nouveau sans traversée de l'ancien, pas de réel sans traversée des fantômes, sans veille pendant les insomnies. *«Quel apprentissage de* la lettre d'amour?» Cette question renvoie à «Lettera amorosa» de René Char, ami avec qui elle a correspondu pendant vingt ans; tout serait à citer de cette lettre: «L'air que je sens toujours prêt à manquer à la plupart des êtres, s'il te traverse, a une profusion et des loisirs étincelants», ou «Je ne puis être et ne veux vivre que dans l'espace et dans la liberté de mon amour», ou «Pourquoi le champ de la blessure est-il de tous le plus prospère?»

Quand j'ai eu fini la lecture de *L'issue*, j'ai voulu écrire une lettre à Claire, pas une phrase n'est venue; il n'y aurait eu que le mot *merci*, mot immense que mon orgueil d'écrivain n'a pas écrit le trouvant trop court. Pour la remercier: piller son livre, saisir le butin qui me convient: je suis un voleur.

Le pouvoir: si on m'en donne je m'en sers pour lutter contre le mensonge, si on ne m'en donne pas je continue mon chemin: *«c'est quand le cœur fait son deuil de l'amour que se durcit le poing du Pouvoir»*. Je ne méprise pas le pouvoir: je l'admire quand il est au service du plus grand nombre (Gandhi et Castro).

L'issue, titre que j'aime parce qu'il sort de l'impasse, annonce un passage, met fin aux errements. La voix qui parle dans *Il n'y a plus de chemin* de Jacques Brault, après avoir dit «Je suis content qu'il n'y ait plus

de chemin», va laisser transparaître qu'il n'en est rien:
«J'espérais, malgré tout. Disparaître en un petit chemin, avec un souffle de quelqu'un tout près; une vieille
bonté comme au premier instant. Mon espérance, ne
meurs pas avec moi.» L'issue c'est toujours l'autre, le
chemin va toujours vers l'autre, il est la rencontre de
l'autre. On n'arrive à soi que par l'autre. La solitude
n'est pas bonne: embrassez ceux qui en font l'éloge, ils
en ont grand besoin. «C'est le devenir de l'autre en soi-
même qui devrait être l'objet de tous les soins de la culture. Il n'y a que l'amour pour faire la révolution.
L'avenir ne peut tirer substance que de la connivence
du verbe de la fille et de l'oreille du fils.» Il y a des
hommes qui sont de plain-pied dans l'amour depuis
leur naissance mais les autres qui sont nombreux n'ont
pas vu l'amour et ne le trouvent jamais s'ils n'ont pas
d'oreille pour la parole des filles — comment expliquer
que les femmes soient presque toutes de plain-pied
avec l'amour: je ne vois que la chaleur du ventre qui accueille le pénis du père et l'enfant nouveau, qui accueille l'autre, l'inconnu.

«Il n'y a que la clôture pour assurer l'ouvert, le
secret pour délivrer le *terme* juste.» J'ai longtemps dit
«famille famine», chaque fois le cœur de Pâque se ser-
rait: et voilà que celui qui se méfiait des pères est
content d'être père parce que sa parole est verte,
qu'elle montre la nécessité et les limites de la loi. À
partir de l'amour d'un homme et d'une femme les
phrases sont des rondes qui vont s'élargissant:
l'amour entre eux libère des forces d'amour autour
d'eux. Parce que je donne à mes élèves une méthode
raisonnée de travail, ils sont libres: sans méthode il y
a chaos, la méthode conduit à l'exode, la méthode sort
de l'enfermement. La méthode est travail, pensée, jeu,
ouverture, chemin; autrement elle n'est pas méthode,

elle est non-méthode, exercice vain, marche forcée. Penser la famille, le couple, comme méthodes de vie (au lieu d'en faire des exercices mortifères). «Le pouvoir de créer c'est avant tout, l'art d'épouser»: il n'y a qu'à voir le jeu de l'eau, sa mobilité.

L'aphorisme joue souvent du paradoxe pour faire gondoler l'horizon habituel: «La rigueur c'est l'absence de calcul.»

Il y a chez Claire Lejeune des moments de familiarité qui donnent à sa puissance d'abstraction toute sa force: «Cette nuit, je me suis éveillée captive du mot *niais*. Faire le point, c'est se déniaiser; se donner la force de crever le plafond et le fond d'un espace mental devenu inhabitable.» Je lis cette phrase et j'entends des parents dire à leurs enfants «petit nono, moyen nono, grand nono, petite niaiseuse, moyenne niaiseuse, grande niaiseuse», et les enfants se renvoient entre eux de tels compliments. Quand est-on nono: quand on dit non à l'attente de l'autre, à son ordre, quand on prend un chemin que l'autre juge impraticable. Quand serons-nous assez intelligents pour saluer l'autre dans son chemin, dans son invention, dans ses essais, dans ses erreurs. On est niais si l'on assoit l'autre à sa place (qui n'est justement pas «sa» place mais la place qu'on lui dicte), lui coupe les ailes pour qu'il soit tranquille dans le nid. Quand vos nids sont chauds et puants ouvrez vos ailes et n'y revenez pas, imaginez une méthode pour bâtir des nids aérés.

La source de la pensée de Claire Lejeune, son amont, c'est le poème. Pourquoi. Parce que la parole poétique est celle qui épouse, délivre, chante, alors que les discours ordinaires trop souvent livrent, expliquent, jugent. Vous êtes livrés à l'information: que le poème puisse vous délivrer personne ne vous l'a appris. Où donc avez-vous été à l'école.

Je me souviens d'un film où un marin avait deux femmes: la femme mariée était lasse de vivre dans la maison, rêvait de sorties; la maîtresse était lasse de sortir, rêvait de vivre tranquille dans une maison. Le marin qui n'a pas écouté leur désir les a perdues les deux. «M'écrire, c'est convertir mon *pathos* en santé. Faire la vie.» Une maison n'est bonne que si je peux en sortir, une sortie n'a de sens qu'à créer plus d'espace dans la maison. Je vis entre mon jardin et le monde, dans mon corps et sur les ailes de l'âme. «C'est d'avoir été le lieu convulsif de l'extrême licence et de l'extrême ascèse que je deviens matière à nous»: il y a dans la marche de Claire Lejeune un ton d'affirmation, de provocation, un certain goût d'aller à l'encontre des compromis, des mensonges qui rendent la vie agréable à la classe bourgeoise, il y a chez elle le plaisir de pavoiser sa maison à la Rimbaud, à la Ducasse: sa flamme s'allume à leurs saisons en enfer, à leurs aphorismes-flèches. Je n'ai pas ce goût, cette fierté adolescente, mais je tiens à la liberté du poème et au travail méthodique, je n'ai pas le goût de l'extrême (j'ai le vertige trop facilement), je préfère le milieu, j'aime être entouré, j'aime donner la main, qu'on me donne la main, pas envie de découper nettement ma silhouette sur le bord d'aucun abîme: s'il m'arrive d'en frôler un, c'est que je n'ai pas le choix, ce n'est certes pas par transgression, c'est que mon chemin passe par là. Tantôt je suis l'homme marié qui a faim-soif de l'inconnu, tantôt je suis l'amant qui aime les limites de sa maison.

Me sentir coupable je ne sais guère ce que c'est. Triste de ma bêtise, ça je connais: je me pardonne difficilement d'être dur envers un autre, encore moins de le blesser parce qu'il m'a blessé. Et pourtant ça m'arrive encore: alors je coule au fond du lac de tristesse, je n'arrive plus à m'aimer, je suis en colère contre moi. Je ne me sentirai jamais coupable de ma colère contre ceux et celles qui consciemment entretiennent le non-amour, la violence du pouvoir, la peur.

«La grande peur de notre société, ce n'est pas la nudité du sexe, c'est celle du cœur.» La vraie nudité garde son secret, l'autre, la fausse, après avoir créé quelque excitation, jette dans l'ennui, et ne reste que la violence pour briser l'ennui. Toute vraie nudité (du sexe, du cœur, du travail) la plupart ne veulent pas la connaître: c'est toujours trop d'innocence. La fausse nudité s'étale triomphante (ouvrez les journaux et les films de masse: sexes nus et cœurs nus s'y vendent partout), la vraie se cache-révèle dans un poème, un sourire, une parole juste, une main.

«Devenir homme, c'est devenir dur. Être enfant, être femme, c'est être condamné à demeurer tendre.» C'est trop vite dit. «Le grand œuvre d'une femme ne sera jamais LE livre, mais la naissance du couple franc.» C'est trop vite dit. Ouvre tes yeux claire amie: ne vois-tu pas d'hommes tendres et de femmes du livre, de femmes dures et d'hommes du couple. Femmes et hommes dépendant des circonstances sont nourris inégalement de douleur et de douceur. L'enfant qui est aimé apprend à aimer, l'enfant qui est traité durement apprend à être dur: comment pourrait-il en être autrement. Je suis fatigué de ces oppositions; ne serait-il pas temps de dire que tout être humain a besoin d'amour (tendresse, douceur de la fleur, amitié, érotisme) et de liberté (résistance, dureté du diamant, autonomie, travail), d'unions (homme et

femme, parents et enfants, vieux et jeunes) et de paroles (livres, lettres, conversations).

«Il faudra bien que chaque femme à son midi soit
le lieu du suicide solitaire de la petite fille rejetée.
Faire son deuil de la petite fille humiliée, c'est priver
l'hystérique de tout moyen d'existence, c'est mettre
l'amie au monde.» La version masculine: il arrive
qu'un homme à son midi arrive face à face avec le petit garçon qu'il a été, quand il l'a bien regardé il sait
s'il doit ou non reprendre les fondations de sa maison
pour dire oui au monde. «L'amour est chance
d'après-midi» pour qui a connu un petit matin froid.

L'amour ne peut être qu'infini entre deux êtres,
feu toujours présent. La passion ne peut mourir: si
elle meurt c'est qu'elle n'avait pas commencé. «La relation de deux franchises ne peut être qu'une révéla-
tion mutuelle infinie, salutation de deux consciences
qui ne s'éprennent l'une de l'autre que pour s'entre-
libérer.» L'amour est affranchissement: c'est la sortie
de la prison du seul. Il faut être niais pour faire du cé-
libat ou de la solitude une vocation: nous ne sommes
nés que pour des noces permanentes — que nous ne
trouvions pas une âme sœur avec qui nous marier,
c'est grande désolation, que nous n'ayons pas d'amis
avec qui parler librement nos vies c'est grand désert.
Nous n'avons pas de juste milieu ailleurs que dans la
rencontre des autres. Et si personne ne vient à ma rencontre, et si là où je marche il n'y a personne, et si
quand je m'avance vers l'autre, l'autre me fuit: continuer à espérer l'autre ou en finir avec la non-vie, le
monde vide. Peut-on espérer jusqu'au dernier souffle.
Et si Dieu était l'attente de l'autre. Je pense aux *Notes
intimes* de Marie Noël qui n'a pas trouvé un compagnon, qui est restée jusqu'à la fin avec son Seigneur:

«La Foi, l'Espérance et la Charité m'ont brisée. // À cause d'elles trois, me voici plus rouée de coups qu'une femme battue tous les jours par un maître sans pitié. [...] Je Lui donnerai, je donnerai à la Cathédrale, mon drap brodé de mariage qui n'a jamais servi. Il entrera en religion. Il servira Dieu sur l'autel. // Et Lui, le Seigneur, que me donnera-t-Il pour nos noces d'or? J'ai bien peur que ce ne soit un gros bouquet d'épines — ce sont de ces cadeaux à Lui — mais je le recevrai en Lui baisant les mains. Toutes les épines qu'il m'a données, à la longue ont toujours fleuri.» À propos de la division des sexes Marie Noël dit naïvement: «La création de la femme, la blessure originelle... la première séparation. / "Il n'est pas bon que l'homme soit seul." / C'est depuis lors qu'il est seul, ô mon Dieu! ô Dieu! il ne fallait pas le diviser, le mettre en deux. Il fallait le laisser UN. / Depuis, ses deux parts incomplètes ont toujours et vainement tenté de se réunir. [...] Et toute la douleur du monde est sortie de là. // Il le fallait. Sans le désir, le monde n'eût jamais perpétué le monde.»

«Dans le couple humain, celui des deux qui possède le génie de la rencontre, c'est la femme.» Non, c'est l'enfant qui possède ce génie, c'est un petit garçon ou une petite fille qui tend la main. «Deux qui se sont rencontrés *à la source* se tirent nécessairement l'un l'autre de leur enfer»: à la source il n'y a pas de sexe, il y a la joie de naître, d'aller vers d'autres naissances.

«La psychanalyse qui fait de la dépense d'argent une prothèse de la dépense d'amour ne peut y parvenir qu'au prix du *moindre mal*, impuissante à délivrer la joie.» Quand j'étais en analyse, l'analyste ne m'a donné aucun reçu de l'argent que je lui ai versé: il ne fallait pas qu'un autre (une compagnie d'assurances) paie à ma place. Elle m'a parlé de dette sans que je comprenne trop, j'ai fait confiance. À chaque fin de séance je remettais sur la petite table les billets de banque convenus. Pendant ces quinze mois je ne me suis presque pas acheté de livres: je payais l'oreille qui m'écoutait comme les chrétiens paient leurs pasteurs ou certains peuples leurs sorciers ou leurs chamans. Quand l'analyse a été finie j'ai recommencé à m'acheter des livres: comme on m'avait écouté, je pouvais à nouveau écouter les autres.

À chaque rencontre se joue la joie d'être deux; là quatre désirs allument le feu: de chaque côté il y a deux désirs, le désir de grandir et le désir que l'autre grandisse. Les désirs de prendre l'autre et d'être pris sont des désirs de régression: c'est le ventre de la mère qui nous enveloppe, nous tient à l'abri du monde où nous ne savons plus marcher. Chaque fois que nous ne pouvons plus avancer sur le chemin de notre vie, nous sommes tentés de crier «maman», «papa».

L'ordre domestique ne tient qu'à entretenir le grand jeu de l'amour, autrement ce n'est qu'un désordre, une déchirure, une résignation. L'amour ourdit l'union de deux, le mensonge camoufle la séparation de deux. La franchise ne blesse que qui a peur de l'inconnu.

«La chance, c'est de pouvoir rencontrer, reconnaître et nommer son manque, de pouvoir tutoyer son autre.» Ma chance aura été l'écriture: elle a été le travail qui a désenfoui l'autre. Quand écrire n'est pas résumer, faire des bilans ou des projets, quand écrire c'est murmurer, laisser affleurer les paroles tremblantes, alors là quelque chose nous est donné qu'on croyait perdu ou inexistant. «Je te disais bien que comprendre est santé... Mais quel voyage! Que de circonvolutions à parcourir, que de défoncements, que d'éboulements pour parvenir à percer l'issue!» Et quand l'issue est percée le monde cherche toujours à la boucher: alors nous battre toute notre vie pour que nos corps demeurent ouverts. L'espèce humaine aime la servitude et le ventre clos: les issues lui font peur. J'ai mis du temps à découvrir le plaisir et le risque du tutoiement: dans la nudité du *je* et du *tu* j'ai trouvé une issue que le *nous* et le *vous* bloquaient.

Je lis l'autre pour en faire ma manne. Si Claire écrit «Prendre le temps de m'écrire, ce fut tout d'abord gagner mon droit à la solitude, prendre le temps de m'absenter, de m'abstraire du ghetto familial», j'écris: prendre le temps d'écrire, cela m'a donné mon *je*, cela m'a permis de me nommer, de me situer par rapport aux autres, de sortir de ma solitude.

«Je suis née mère de ma mère. Vieille comme le monde. Née chargée. Inculpée. C'est ça, le secret de ma naissance!» C'est là drame commun: les enfants naissent chargés de leurs parents, portent sur leurs frêles épaules ceux qui devraient les porter. Bienheureux les enfants qui échappent à cette charge! Des mères et des pères en santé-création j'en ai rencontré bien peu, des mères et des pères capables de laisser avancer leurs enfants dans leur jeu-travail-apprentissage de la vie, aussi discrets que des anges gardiens, c'est grande rareté. Mes parents, s'ils ne sont pas arrivés à s'entendre vraiment, paraissent avoir réussi à laisser leurs enfants libres de choisir les chemins qui leur conviennent: toujours eu ce sentiment qu'ils nous aimaient plus qu'ils s'aimaient. «Je sais maintenant que c'est de la résurgence poétique du visage-poing de ma mère au centre de ma mémoire que mon éveil a commencé, et que mon écriture a tiré sa force» — coïncidence avec le visage-

absence de ma mère au-dessus de mon berceau
d'enfant surgi dans un rêve, visage-absence qui m'a
donné à penser le froid et le chaud hérités de mes parents, à les situer, à me situer par rapport à leurs
histoires.

Pas facile d'aimer papa, maman, quand ils empêchent tout élan, toute création de soi: «Au nom de la
poésie, moi, c'est le Père que j'ai égorgé dans *Mémoire
de rien*» et «La mort de ma mère, ce fut la mort de mon
premier enfant, la mort de l'enfant que je n'ai jamais
été.» C'est parce qu'elle a égorgé le Père que Claire Lejeune fait l'éloge de l'irréférence, qu'elle ne peut faire
de Dieu son pain. Sans doute est-on forcé de faire mémoire de rien quand ce qui nous a été donné par nos
parents tient plus de l'empêchement à vivre que de la
joie de vivre. Qui a des parents vraiment adultes a
droit à son enfance, est respecté dans sa voie, qui a des
parents qui n'ont jamais grandi est écrasé par leurs
commandements et leurs peurs — quand on a peur on
ordonne, quand on vit on parle-échange.

«La tristesse va de pair avec la lucidité [...] Mes
eaux ne sont riches que des boues de la déception.
Personne ne cherche à m'en déposséder, elles seules
échappent à la convoitise.» La tristesse n'est pas lu-
cide, n'élucide rien, elle est attirée par les fonds
boueux, elle s'enroule dans la déception, lâche la vie.

Ce livre qui m'a fait tant de bien, quand je me
mets à le parler dans ma bouche, j'en prends assez
souvent le contre-pied. «L'ultime objet de la peur humaine, c'est la beauté; rien n'est plus désarmant, plus
ravissant que son irruption dans notre vie.» Je n'ai pas
peur de la beauté mais de la violence. La beauté est
bonté, la violence est méchanceté. Pour dire ce que dit

Claire à quel degré d'amertume faut-il être rendu. C'est sans doute par cette amertume que s'explique l'éloquence de l'outrage chez elle, sa rage de l'expression, la mort de la petite fille et du petit garçon.

La Claire que j'aime c'est la grande fille qui aime le poème, l'amour, l'homme «infiniment capable d'enfance», la vie, le réel, l'amitié. Il y a une autre Claire qui tente d'avoir raison de cette grande fille, cette Claire sombre porte sur elle tout le tragique de notre lignée, elle dit «C'est toujours de l'Irrespirable que nous naissons!», disant cela elle ment et ne le sait pas: nous ne pouvons naître que de la lumière, que de l'amour. Parfois j'imagine Claire comme Don Quichotte grandissant ses ennemis. La grande fille est en santé, elle dit «Je me sens bien — belle et bonne — ce matin. Je m'aime telle que je suis»; la Claire sombre se fait trop éloquente, elle dit «Partagée, la foudre se fait nourriture terrestre, voix lactée» ou «On ne se rencontre jamais soi-même qu'au plus exigu de sa solitude!» Est-ce naïveté de ma part si je dis que seul avec moi je ne sais pas ce que c'est que moi, que je ne vois rien d'autre que du noir, qu'il n'y a personne.

Les idées sont des éléments du paysage, on peut s'y arrêter ou non, pour une raison ou l'autre, les idées donnent à penser, je ne peux penser qu'à plus de vie — «Si les idées ne nous donnent pas à vivre, alors qu'elles aillent au diable!» —, les idées amènent la discussion, la polémique; il arrive que je sois las d'elles, que je leur préfère un écureuil qui court sur la clôture, un petit oiseau dans le feuillage bas du frêne. Plus je vieillis, plus je traite à la légère les idées, plus j'aime les poèmes; l'idée, quoi qu'elle fasse, a une prétention à être valable pour tous, ce qui m'agace toujours un peu, le poème a une façon d'être pour qui le prend, il ne force pas l'attention, il est attention à tout ce qui vit. Ai-je raison si je dis: l'idée sépare les choses, les êtres, le poème les réconcilie. Cet homme qui passe dans la ruelle avec la main de son petit-fils dans la sienne ne sait pas par les idées ce qu'est la généalogie, il le sait par la main. Je ne veux pas ici dénigrer les idées, mais les lilas, les pâquerettes qui brillent dans les yeux de Katherine Mansfield ou cette jeune femme en mauve qui arrive à bicyclette me sont plus réels. Les idées, il faut bien en avoir: elles font le ménage dans notre vie, nous aident à décider-choisir, elles sont directrices; mais il est bon de leur préférer au moins de temps en temps de petites luminosités dont généralement elles ne s'occupent pas: «Trouvez-vous aussi une joie infinie dans les détails et leur accordez-vous une valeur, non pour eux-mêmes, mais pour la vie qu'ils recèlent (K. M., *Lettres*)?» Les idées tôt ou tard nous mènent sur un champ de bataille (Claire Lejeune comme guerrière contre le Père), les détails nous mènent dans un parc, dans un jardin.

À tant parler de sa fatigue, «du poids millénaire de notre fatigue», Claire m'en a presque débarrassé. Je ne vais pas plus loin. Il est tard. Je ferme l'ordinateur, vais rejoindre Pâque dans notre chambre au frêne. Le hamster de Catherine pendant que j'écrivais a grignoté l'enveloppe de coton rouge de l'ordinateur. La vie est «matière à joie, à bonté, à beauté partageable»: si cela n'avait pas été, comment aurais-je pu lancer ma semence au creux de Pâque pour que germent à nouveau Adam et Ève, comment Claire aurait-elle pu chaque matin nous écrire son livre-lettre pour ouvrir *la petite porte du fond du cœur.*

6

Qui est seul. Je lis *La plage de Scheveningen* de Paul Gadenne, je souligne le passage suivant: «Guillaume, quand il commença à reconnaître Irène, comprit quel malentendu se préparait, donc il ne pourrait jamais se disculper. Il était *là*, et il était *lui*.» La vie d'homme marié quand le mariage ne va pas ressemble à la vie solitaire d'un grand adolescent. Quand cet homme regarde ses enfants dans les yeux, les siens se brouillent un peu, ne savent trop d'abord d'où vient leur beauté, puis voient qu'elle vient d'un mariage d'amour.

Est-ce que je suis seul à quarante-cinq ans à chercher dans un livre de poèmes une manne qui m'aide à résister; à trouver qu'un seul *je* c'est bien peu; à écrire des lettres à des amis, des inconnus; à penser qu'entre un homme et une femme la parole n'est pas facile, que lorsqu'elle est là entre elle et lui il n'y a rien d'aussi beau; à dire que la conversation est un art perdu.

Une dent qui pousse de travers au milieu de la bouche d'une petite Portugaise que je vois trois matins par semaine me réconforte: quand elle sourit, cette dent ouvre la porte.

Ne pas fréquenter le milieu littéraire: pas de goût pour une carrière, une fatigue inutile. Juste envie d'une parole verte, de la petite musique du matin, d'un grand amour, d'amitiés douces, de prières secrètes.

Est-ce que j'étais seul quand j'avais peur de ma mort. Elle a cessé de me faire peur, je suis accordé à ma vie. Mon chemin descend tout doucement dans une lumière tranquille de fin d'après-midi, je le vois bien dans les yeux des jeunes qui brillent de tout l'avenir, ou qui n'arrivent pas à être tranquilles, à se poser sur le monde. Je ne pense plus beaucoup à moi et c'est bon. Qu'est-ce que j'entends quand le chaman Cerf Noir dit: «Songe que toute tente d'Indien est ronde. Tu y entres quand le soleil se tient dans toute sa force, doré dans le ciel; puis lorsque les nuages commencent à obscurcir la terre, tu te tournes vers l'ouest et tu entres dans la force du pays; puis tu tournes vers le nord, d'où vient le blizzard, et tes cheveux deviennent blancs comme de la neige; enfin tu te retournes vers l'est, où le soleil se lève rouge comme du sang, et tu dois alors apprendre que la mort, c'est ta vie (cité par Eugen Drewermann dans *La parole qui guérit*).» J'entends la parole de la neige: relire les poètes qui ont parlé la neige, l'ami Joseph-Henri (Phenri dit sa compagne, celui dont le rire fend) et son unique livre, *Pylônes*, tout entier sous le signe de la neige. Je vais arriver à la neige et je n'ai pas peur.

Suis-je seul à oublier si rapidement le passé: pourquoi l'excitation des sens et de l'intelligence disparaît-elle. Seul à éprouver pour les hommes et les femmes un grand amour, seul au milieu de mon atelier ensoleillé, à avoir souvent envie de danser au milieu de la ruelle; seul à lire le *Saint Jérôme* de Jean Steinmann mort emporté par un torrent en Jordanie, *Franza* d'Ingeborg Bachmann morte à Rome à la suite de graves brûlures; seul à enseigner avec plaisir la création: il n'y a que ce qui ne s'enseigne pas qui vaille la peine d'être enseigné; seul à pleurer à l'enterrement du docteur Fauteux, l'ami d'Élias Tourigny, curé de Batiscan; seul à aimer les fantômes.

Comment ne pas être sensible aux limites du langage, alors que l'on vit quotidiennement la séparation des générations, des sexes, des races, la répétition exacte des scènes du malheur. Trouver un langage qui déplace le poids des paroles malheureuses pour voir les petites fleurs bleues depuis si longtemps écrasées.

Las des discours corrects de professeurs corrects qui énoncent correctement des idées de dessus qui ne dérangent personne. Pourquoi est-ce que j'aime les amoureux rebelles. Pourquoi est-ce que je ne fais pas la révérence devant les chefs-d'œuvre, les monuments anciens. Pourquoi est-ce que j'aime tant la naïveté: est-ce une façon de passer de l'autre côté du miroir.

Quand je vais au cinéma, il n'y a personne dans la salle. Quand je veux un livre, il est introuvable chez les libraires. J'exagère à peine.

Je me récite de temps en temps ces mots du Montagnais Ashini: «Ma grande pensée n'est venue qu'en la solitude.» Je ne sais pas trop quoi faire avec ces mots. Je commence à savoir que la grande pensée commence par un tout petit feu qui brûle tout autour ce qui encombre sa marche. Parfois je suis tenté d'aller étouffer le feu avec de grandes serviettes d'eau froide: qu'avons-nous besoin d'hommes, de femmes, arrivés à la grande pensée quand la plupart ne savent même pas quelle joie il y a à l'étude du monde. Je soupçonne la grande pensée de se moquer de l'intelligence qui vise la narration critique des événements, la description systématique des phénomènes.

«Je ne marcherai jamais dans leur jeu — se défendre contre tous / fatigue / fatigue»: ça aussi je connais bien, celle qui a écrit ça a publié *Chant des guerres* qu'elle a détruit, *Meurtre*, *Dire I* qui s'intitulait d'abord *Parler seul*, *Il donc*, *Survie*. Cinq ans après son suicide le jour de ses trente-huit ans, on a publié ses *Cahiers* avec une postface d'un ami que j'ai lue combien de fois. Est-ce que je suis seul à être hanté par tant d'hommes, de femmes qui cessent d'écrire parce que leur mort est là sur le seuil qui leur fait signe. L'écriture est-elle autre chose qu'une fragile victoire sur la mort. «Le geste du suicide n'épouvante réellement que ceux qui ne sont point tentés de l'accomplir, ne le seront sans doute jamais, car le noir abîme n'accueille que les prédestinés» écrit Bernanos à la fin de la *Nouvelle histoire de Mouchette*. Pourquoi cet automne ai-je dû abandonner la lecture de *La cloche de détresse* de Sylvia Plath. Avez-vous lu *Martin Eden* de Jack London.

Que serait ma vie sans les poètes et les archivistes, que saurais-je de l'amour et de la guerre.

Pour cesser de parler seul faut-il cesser de parler. Si je me couche seul dans une chambre, Dieu va-t-il me parler, ses prophètes vont-ils m'apparaître. La parole humaine dans mon oreille gauche n'est qu'un petit froissement de papier, un silement continu l'habite: est-ce vrai que j'entends mieux les autres depuis que j'ai perdu une oreille.

J'aime les dessous provocateurs, les idées provocatrices, les dessous qui donnent des idées, les idées qui donnent des dessous. Donner de la voix au corps, à l'esprit, les provoquer, les mettre en feu, les hommes font-ils autre chose quand ils s'excitent. Mon cœur va à ceux, celles qui allument le feu de la paix, se battent jusqu'à mourir pour elle.

Les larmes, les rires, les baisers, les paroles des femmes voilent, révèlent un pays que trop d'hommes évitent ou traversent en courant, le pays Amour.

Je n'ai pas toujours quarante-cinq ans et mon nom n'est pas toujours le mien. Je m'appelle David Tige-de-roue, j'ai dix-huit ans, je fais l'amour toutes les nuits avec Mutine Papillon qui en a seize; je m'appelle Jacques Ferron, j'ai cent cinq ans, je suis un grand-père vert qui s'amuse de tout, ne monte jamais les hauts chevaux autoritaires, préfère la caresse des fleurs des amélanchiers; je m'appelle Catherine Vraie-vie, j'aime Marjo quand elle chante-rage «on vit sa vie comme un rêve étouffé» ou «laisse couler la rivière / remplis-moi de lumière»; je m'appelle Virginie Looup, j'ai trop mis de pierres dans les poches de ma veste, je suis une Ophélie ratée; je suis Don-de-Dieu Terre-de-prés Adorno, j'enseigne la dialectique néga-tive aux oreilles musicales; j'ai beaucoup d'autres noms, beaucoup d'autres âges, cela doit approcher de l'infini.

«Personne ne m'aime et n'a pour moi / Agité un fanal.» Je regarde les photos dans le numéro des *Cahiers du Grif* consacré à Ingeborg Bachmann, je re-garde son sourire, il est beau, tantôt doux-lointain, tantôt proche-éclatant, puis sur une photo, la der-nière, elle a quarante-quatre ans, c'est un masque de mort qui esquisse un sourire. Que s'est-il passé.

Un matin avec trois enfants j'observais avec beaucoup d'attention une araignée à grandes pattes fines traverser la rue. Un autobus l'a emportée. Nous n'avons pu repérer l'endroit où elle est tombée. Les enfants ont discuté un peu, fait quelques hypothèses, sont montés dans l'autobus scolaire; moi je suis retourné à la maison sans plus penser à la vie de l'araignée.

Des hommes jeunes, des jeunes hommes, sans modèles d'amour, lancent leur sang partout. Des femmes jeunes, des jeunes femmes, n'ont plus envie d'être des mères. Pas de pères, pas de mères, seulement des désirs exacerbés, exténués. Chacun tire sur sa vie: la vie meurt. Des jeunes, champions de solitude, dansent sous les stroboscopes: les éclats lumineux leur tiennent lieu d'âme. Des fantômes vomissent le trop d'alcool dans la nuit. Méchancetés et divertissements tiennent loin de toute grâce.

J'ouvre au hasard le roman de Karin Reschke, *L'espace d'une nuit*, et je lis: «Solitude, vêtue de sept peaux. Je peignis mon nom sur le verre du miroir. Ce nom que je venais de me donner»: Solitude est-ce un bon nom pour une jeune femme lasse de s'exhiber dans un accoutrement obscène et poursuivie par un loup nommé Albert, pourquoi sept peaux sinon à cause de cette phrase de Nietzsche dans *Ecce Homo*: «La solitude a sept peaux superposées: rien ne les traverse. On va voir des gens, on salue des amis; désert nouveau, plus aucun regard ne vous salue.»

Un grand poisson sec est couché dans un lit d'hôpital. La bouche grande ouverte est le cratère de la mort. Je tire le rideau: dans ma main des cendres partent au vent. Le père de ma mère vient de mourir.

Il y a eu un temps où j'étais curieux dès que l'on racontait l'histoire d'un suicide, je sollicitais même ces histoires. J'ai cessé de le faire. Aujourd'hui je suis curieux quand on raconte une histoire de solidarité. Est-ce une impression fausse si je crois que les histoires d'amitié sont plus rares que les histoires de suicide. Pourquoi suis-je encore tenté d'acheter le *Journal d'une jeune suicidée*. Est-ce que je me conte des histoires si je dis qu'il y a un matin la semaine dernière où la neige dans la ruelle brillait tellement doucement que j'y serais disparu comme dans un palais d'étoiles.

Dialogue triste. «Découvre librement ta pensée. — Je ne sais pas ce qu'est penser. — Découvre librement tes sentiments. — Je ne sais pas ce qu'est aimer. — Personne ne t'a montré à penser, à aimer. — À quoi cela me servirait-il.»

Ce qui colle à nous: le froid, la distance, la note de service, le découpage du monde dans la presse, la séparation. Pauvres moineaux, grands papillons pris dans cette glu forte de son invisibilité. La distance dit «je suis objet, à vous de m'utiliser», rien de plus faux: elle est partout en nous, proche proche, si proche qu'en nous il n'y a plus qu'un ensemble de distances. Il est inutile de chercher dans quelque pli de notre chair une petite fleur bleue, une idée forte du réel, une phrase d'amour qui soit un noyau pulpeux-lumineux. En nous il n'y a plus que des distances que nous parcourons fatigués, vidés. Qui dit j'ai besoin de Dieu, d'amour, d'hommes, de femmes qui me sont accueil, partage, de paroles proches qui vont loin dedans dehors, de la chaleur de l'autre, des autres, seul je ne suis pas, je ne vis pas, j'ai besoin d'un chemin où danser, travailler, d'une maison où me reposer de la fa-

tigue du chemin, d'une lampe pour voir ma compagne, nos enfants, de livres uniques qui fondent ma
parole.

Parfois j'aimerais qu'une inconnue (ou un inconnu) me tienne la tête pour que ses mains me
conduisent ailleurs. Ma tête est-elle trop lourde.
L'inconnue est-elle assise au bout d'un divan.

La solitude brûle tout. Tout individu avance ou
préfère ne pas avancer sur un chemin unique. Il n'y a
pas de route commune, donc pas de compagnons de
route. Parfois des compagnons de solitude croisent
votre route, vous rencontrez leurs yeux que vous
n'oubliez pas, ils laissent dans les vôtres des traces du
feu-amour, vous maintiennent dans ce qui n'arrive jamais à se dire. Arrive-t-il que l'on se marie, que l'on
fasse l'amour, pour fuir la solitude. Si je me marie
c'est pour inventer avec une autre un troisième chemin qui n'est ni le mien, ni le sien, mais un chemin
entre les deux, une route commune, une route
d'amour. Ce troisième chemin n'abolit pas les deux
premiers: il leur donne une main et une maison, une
lampe et des enfants.

Parler seul peut conduire au suicide; la solitude,
le suicide même, peuvent être spectacle. Pour échapper à la solitude, au suicide, peut-être suffit-il de regarder intensément, avec douceur, le visage d'un
autre, d'une autre, jusqu'à ce qu'apparaisse au milieu
du découragement et de l'impuissance une parole de
partage: vous vous souvenez des mots de Lord
Chandlos: «Nous pourrions créer entre nous et toute
l'existence des rapports nouveaux, féconds en pres-
sentiments, si nous nous mettions à penser avec le
cœur.» Rappelez-vous le secret du renard: «Il est très

simple: on ne voit bien qu'avec le cœur. L'essentiel est invisible pour les yeux.»

La légère ivresse que j'ai, quand je suis heureux, à croire que je continuerai à vivre à travers mes enfants rend ma mort douce comme la chute d'une pomme mûre.

Pourquoi il m'est difficile de parler longtemps avec un adulte qui a raturé en lui son enfance: «Il n'écouta pas la fin de la phrase. Les enfants, eux, écoutent tout. Quand on sort de l'enfance, on acquiert la capacité de ne plus entendre que des fragments de phrases, parfois même on peut ignorer une phrase entière, une vie entière, avec la plus grande facilité (Cristina Peri-Rossi, *Le soir du dinosaure*).»

Quand ça ne va pas, tout ce que je fais, je le fais en gardant devant les yeux ma mort. Je vis avec des fantômes, les yeux brûlés de Michel Strogoff, les contorsions de Galeran.

Je n'aime pas les voyages: peur de mourir en route vers nulle part, de revenir et que ma maison soit détruite. Ne suis pas bien ailleurs, j'y perds ma solidité, me sens décentré, dépaysé; là je ne pense qu'au retour, la douceur des lieux familiers me manque. Pâque au milieu du paysage neuf rayonne; tu voyages tant dans tes livres, dit-elle. Lire me rapproche de moi, voyager m'en éloigne. Le seul déplacement que j'aime: aller chez des amis. J'apporte toujours des livres en voyage pour ne pas me perdre, disparaître; je regarde l'autre paysage avec tant d'immobilité qu'il devient mien, là ma façon d'apprivoiser le voyage.

Après avoir attendu longtemps quelqu'un, il arrive qu'on cesse de l'attendre pris par le mouvement de la vie qui force à ne plus se blesser dans une attente qui donne à sentir la dureté de l'absence de l'autre, réduisant la douceur de sa présence à un souvenir lointain.

Que dire à mes enfants, à Yannick qui aura vingt-cinq ans en l'an deux mille, à Catherine qui en aura vingt. Ce que je dis toujours: tenir à ma parole peu importe l'accueil qu'on lui donne, refuser le mensonge.

Il m'arrive, une ou deux fois par année, de pleurer sur le monde entier, de pleurer parce que la parole d'un proche, d'un ami, d'un inconnu, m'a été jusqu'au cœur qui n'était pas gardé, il y a comme ça des moments où toutes vos barrières sont ouvertes, où votre cœur est une clairière tranquille, et voilà la parole-offrande, la lettre-soleil de l'autre qui vous ravit, vous prend de si près que vous sentez le bout de ses doigts sur votre cœur. Il y a des liens tranquilles, d'autres qui ne vous laissent pas tranquilles, vous forcent à une lumière très neuve, semblable au premier vert d'un brin d'herbe le printemps, cette lumière, qui n'a pas appris à danser peut en être brûlé, ou la perdre par bêtise ordinaire (cette lumière n'est pas monnayable, n'appartient pas au monde de la marchandise).

Secouer mes craintes, détruire ma tête de tristesse. Faire comme maître Pernath: m'acheter «un petit sapin avec des bougies rouges» pour «avoir autour de moi la danse des petites flammes (Gustave Meyrinck, *Le golem*)». Ne jamais affirmer que tout est joué, chercher une autre posture où le jeu est possible. Refuser de laisser geler ma parole. Garder le sentiment fort du monde. «Nous manquons du goût de l'air parce que nous vieillissons sans cesse et que sans cesse nous perdons le goût du jeu (Jacques Ferron, «Vers une réconciliation des jeux»).

Comment consoler quand on n'a pas été consolé, qu'on n'a pas demandé à être consolé. Pour appeler il faut qu'il y ait quelqu'un à appeler, souvent il n'y a personne; alors un enfant apprend à fermer la porte sur une chambre où il est triste et seul.

L'opéra, musique d'âme. Toutes ces voix. Depuis que j'ai seize ans. Un opéra: un désert où des âmes brillent. Je ne comprends presque rien aux mots étrangers, j'écoute: spasmes, murmures, cris, silences, envolées, secrets. J'apprends la passion. Les jeunes avec le rock apprennent-ils autre chose. Le rock, une autoroute où des cœurs brillent, les phrases anglaises s'enroulent autour de leurs têtes, de leurs sexes, ils écoutent le rythme de leurs manques. Musiques vibrantes dans un monde froid. Tout ce que j'ai appris des voix de Jim Morrison, Janis Joplin, Elisabeth Schwarzkopf, Kirsten Flagstad.

Qui a le sens de la fête. Longtemps j'ai été étranger à toute fête ne pouvant m'empêcher de sentir sous les traits joyeux les traces de discorde, de peine. Fils d'un pasteur sévère et d'une esclave soumise, je m'appelais Nietzsche Van Gogh. Aujourd'hui je suis fils d'une danseuse allemande et d'un poète américain, je ne comprends ni le complexe d'Œdipe, ni la valeur de la tragédie, ni le péché originel, j'avance joyeux à travers larmes et sourires, je caresse le ventre des femmes enceintes, il me semble que je sais ce qu'on entend par bienveillance des parents, roman d'amour, état de grâce.

Il y a des jours où je n'ai envie d'aucune musique aimée: je m'abîme dans un livre aride pour calmer ce qui fait mal. Ma peau que goûte-t-elle, et la peau de qui j'aime, et la peau de qui je n'aime pas. Pleurer change le regard. La maladie est parfois semblable à une femme qui désarçonne un homme par la force de son amour.

Les fantômes qui nous assaillent font couler doucement de nos yeux des larmes pas toujours visibles que nous confondons avec des nuages de brume. «Quelque part, au cœur de l'expérience, il y a un ordre et une cohérence qui nous surprendraient si nous étions assez attentifs, assez aimants ou assez patients. Aurons-nous le temps (Lawrence Durrell, *Justine*).» L'attention, l'amour, la patience: trois fois le même geste. Faut-il avoir senti que l'on est sur le versant d'ombre pour se laisser envelopper par l'amour. Quand sait-on ce qu'est l'amour: peut-être jamais ailleurs que dans le tourment.

Un pauvre danse pieds nus; un jaloux passe et lui casse les chevilles.

Tu ne veux pas t'aider, dit l'un. L'autre ne dit rien, perdu dans sa souffrance. Tu n'acceptes pas mon aide, dit l'un. L'autre ne dit rien, perdu dans sa souffrance. Celui qui parle s'en va, laissant l'autre à sa souffrance; il a bonne conscience de s'en aller puisque l'autre ne veut pas s'aider, ne veut pas accepter l'aide qu'il lui offre. Combien de temps cela prend-il pour trouver l'aide qui convient. Parfois il suffit d'être là, présent à la souffrance.

Dans une séparation ne souffre que qui s'est abandonné à l'autre, lui a confié sa vie. Qui ne s'est pas donné, son jeu éventé au contact de l'amour, s'en va tranquillement ravir une autre âme. Notre monde est plein d'âmes mortes: il y a beaucoup de marchands pour les acheter.

Je t'aime tant que je m'élève enfant d'amour dans tes bras. Qu'est-ce que tu dis. Je dis je suis une enfant qui met sa main dans la tienne. Répète, je n'ai pas compris. Je m'élève enfant d'amour dans tes bras, je suis une enfant qui met sa main dans la tienne. Qu'est-ce que ça veut dire tout ça, fais-tu de la poésie, tu n'es pas une enfant à ce que je sache. Je t'aime tant que je désire que tu t'élèves enfant d'amour dans mes bras, que tu mettes ta main dans la mienne. Je ne comprends pas.

Des femmes fatiguées et seules qui le cachent, des hommes sportifs et alcooliques qui le montrent: est-ce là l'avenir de nos enfants. Comment c'était à l'origine, que savons-nous du trouble amoureux, pourquoi ce tremblement à la naissance de l'amour l'oublions-nous si vite, comment nos yeux sont-ils faits pour le raturer au lieu de l'élargir. Un amour qui traverse les âges, la fatigue du monde, le vieillissement du corps, pourquoi est-ce si bon et si rare.

La grande vie. Où nous mène la grande vie qui passe en nous, faut-il être seul au bord d'une falaise quand le soleil se détache, disque de feu sur l'estuaire, pour sentir dans le silence comme pour la première fois l'appel de la vie, appel si net, si invisible, que nous en avons un petit serrement de cœur. Nous ne pleurons pas, nos yeux brillent.

Ma vie va vers l'amour: j'en tire de la joie. Je suis plein de trous: j'aime les courants d'air, les baisers timides qui ne font qu'effleurer le visage.

Pas de plus grande joie que de trouver sur ma route un homme, une femme que j'aime, et quand cet homme ou cette femme m'aime, ce sont deux joies aussi grandes, embrassées. Alors je peux me tenir debout dans un champ de marguerites, mettre dans mes yeux les pétales blancs et les cœurs jaunes.

Longtemps le mariage fait peur à regarder les couples autour de soi. L'amitié seule paraît bonne, porteuse d'amour, luire comme un secret, pourtant elle est aussi rare que le mariage parce que chaque être a d'abord à regarder sa détresse, à ne pas la fuir — la détresse nommée, l'amour peut venir. Longtemps la famille fait peur à regarder le peu d'espace où tous se surveillent; la solitude seule paraît alors bonne, ménager un espace où s'aimer — l'amour ensuite vient par hasard dans les yeux de l'autre qui reconnaissent le secret des nôtres. L'amour d'amitié et le mariage d'amour ne jugent pas, disent oui à notre secret malgré le bruit des affaires courantes, des discours normatifs. L'agilité de l'ami et de l'amie, du compagnon et de la compagne, tient à l'offrande de leur intimité qui fonde l'amour: le mouillé de l'iris et le tremblement de la voix accompagnent la parole.

Comment voir qu'entre l'autre et moi il n'y a pas que des écarts mais parfois, plus souvent qu'il n'y paraît, des coïncidences où nos mains sont l'une dans l'autre. Apprend-on à dépasser des questions comme «s'il m'aime pour mon corps, m'aime-t-il moi» ou «si elle m'aime pour les enfants, m'aime-t-elle moi». Quand de telles questions demeurent indépassables, raturant l'intuition amoureuse du premier regard, il ne reste plus qu'à détourner le visage, à souffrir de l'absence de tout à venir entre moi et l'autre. La fidélité est brisée, disant assez durement la difficulté du mariage. Reste une question: l'amour peut-il renaître; deux réponses dans chaque voix s'affrontent, l'une dit «trop tard», l'autre «il n'est jamais trop tard».

Peut-on penser la mort à partir des mots. Le poème en se situant dans l'instant, le fragment, l'aléatoire, est-il la forme qui donne le plus à sentir la mort. Il y a un fait inéluctable: à mesure que je vis-vieillis j'approche de la mort mienne; cette mort peut m'étreindre si j'ai l'impression d'avoir raté ma vie ou de ne pas avoir vécu toute la vie que je désirais, ou je peux l'accueillir, la saluer, dans les cheveux blancs qui apparaissent, dans les autres, parents et amis déjà brûlés. Je ne teins pas mes cheveux, ne cache pas mes rides, respecte les limites de mon corps fatigué. L'autre qui meurt m'aide à préparer ma mort en vivant plus doucement, en aimant mieux.

Notes à une jeune inconnue qui à la suite de la lecture de *L'atelier du matin* m'avait écrit. 1) Où est-on quand on est tout intelligence, que le corps se fait transparent: probablement au milieu de la flamme de la petite bougie en nous qui rend lumineux le monde. 2) Ma femme n'aime pas que je parle d'elle, tout ce que je dis d'elle c'est ma vision d'elle: ce n'est pas elle, c'est elle dans mon regard. C'est une femme que j'aime, que je trouve belle (tu dois savoir que la beauté est une affaire de cœur). 3) J'ai écrit parce que je ne trouvais pas ma voix dans celles d'ici que je lisais. Une voix n'en surpasse pas une autre, elle est autre, c'est tout. Je lis à la recherche de voix qui rendent la mienne amoureuse. 4) Oui la tristesse: je suis ou plutôt je pourrais être un champion de la tristesse sans me forcer mais j'ai décidé d'être un athlète de la joie (parfois je suis fatigué, j'aurais envie d'abandonner l'entraînement). 5) Je parle des femmes avec désir:

quelques femmes ont été, sont dans ma vie des soleils;
je sens presque toujours plus la vie chez elles que chez
les hommes. Dire ce que je dois à Hélène Cixous et
Claire Lejeune: ces deux femmes ont été mes maîtres,
m'ont permis d'inventer ma maison. Ce que je dois à
ma femme, à quelques amies, à des étudiantes. 6) Qui
aime-t-on: celles et ceux qui voient notre petite
flamme, chez qui on reconnaît la même envie de chaleur. 7) J'aime bien les fouillis (la liberté d'y prendre
ce qui me convient) et les leçons (j'aime qui dit c'est
ainsi que je marche). 8) J'ai hâte de lire ton atelier; s'il
y a une leçon dans mes livres, c'est celle-là: que chacune et chacun s'écrivent, inventent leur vie.

Quatre mouvements difficiles: penser, écrire, aimer, mourir. Quatre chemins tortueux. Il arrive qu'on
soit récompensé de sa fatigue. Mâcher la pensée des
autres pour naître. Écrire parce que la conversation
est un art presque perdu. Dormir sur une courte-
pointe d'yeux: imaginer des lignes de feu entre eux.
Se rappeler que l'on est pauvre, infiniment nu. La
pleine santé m'arrive au croisement de ces chemins.

Conversation lente. Pour qui aller vite, se hâter.
Quelle haine de soi nous amène à nous mutiler. Le
droit à la lenteur. Cette impression qu'il n'y a pas de
place à occuper, de pouvoir à prendre. N'avoir une
place que pour se déplacer, du pouvoir que pour faire
voir autrement. C'est avec moi que je converse le plus
souvent et je suis lent: je ne comprends pas facilement. J'ai besoin de comprendre, parfois non, une cer-
taine lumière me suffit qui court dans mon sang,
l'oxygène. Ce que j'écris aujourd'hui, au milieu de la
quarantaine, je n'aurais pu l'écrire à vingt ans. Je ne
regrette pas la dépendance de l'enfance, la tourmente
de la jeunesse, j'aime relire cette phrase de Jean Tau-

ler: «Quoi que l'homme fasse, qu'il s'y prenne comme il voudra, il n'arrivera jamais à la vraie paix, il ne sera jamais un homme vraiment céleste, avant qu'il n'ait atteint sa quarantième année (*Aux «amis de Dieu». Sermons*).» Céleste: jeter du lest, gagner en douceur, toucher l'essentiel, cesser de se chronométrer.

«Monter le métier de sa vie: / Grand travail à entreprendre / Tellement long, / Requérant tellement d'attention / De temps et d'efforts. / Peut-on être sûr qu'on n'aura pas / À le monter une deuxième fois (Jacinthe Laforêt, "Philosophie d'une tisserande")?» Quand un métier ne tisse plus que le malheur, vaut mieux l'abandonner et remonter au premier métier; ce premier métier ne tissait qu'étoffes d'amour.

Pour écouter: abandonner toute tension, faire comme si nous n'écoutions pas pendant que l'autre déroule son fil, marcher dans notre labyrinthe à la recherche de cette petite pièce où le soleil entre par une haute fenêtre. L'autre parle, vous rêvez. Quand il cesse de parler, vous commencez à parler de n'importe où, même de la pièce du grand soleil si par douceur vous y êtes arrivé. Votre voix joue un air qu'il croit reconnaître, il n'y a pas d'autre écoute que du creux qui se déplace en nous, venu avant même notre naissance.

Pas d'autre engagement que celui de l'amour de la vie. Qui demande-ironise «quelle vie». Rien ne sert de leur répondre la vie de l'amour, ils sont trop enfoncés dans leur solitude, dans leur pouvoir, ils n'ont ni mains, ni bouches tournées vers les autres, la terre, le proche. Offrir ils ne savent plus ce que c'est. Pas d'autre voie à ma liberté que de penser fortement le présent pour y faire apparaître mon chemin. J'ai le choix entre suivre mon chemin, ce qui n'est jamais sans inquiétude, ou suivre tout chemin qui se présente, ce qui est souvent la perte de ma vie. La liberté n'a qu'un chemin: qui est assez fort pour le penser-sentir. La non-liberté a plusieurs chemins: diversions et divertissements, vides et encombrements, s'y trouvent facilement.

La curiosité, aiguillon de la quête intellectuelle, se brise parfois les ailes: tout ce qu'elle a appris lui paraît une grande mer morte. Si ne s'élève pas un chant de toute la connaissance acquise, c'en est fini de la quête; l'alternative est simple: ou la mort (appelez-la résignation, désenchantement, maladie, suicide), ou le cynisme (la connaissance acquise va servir à planter des couteaux dans tout ce qui va l'approcher). S'il y a le chant, la quête est à la fois accomplie — ce qu'il y avait à trouver a été trouvé: que le réel se métamorphose en vibrations aimantes — et inachevée — le chant échappe à toute possession, à toute maîtrise: aucune connaissance ne le produit à coup sûr, c'est pourquoi la quête continue pour que le chant jaillisse à nouveau.

La maternité est première, biologique, toute dans l'étreinte du regard, dans la caresse des peaux. La paternité est seconde, plus tardive, culturelle, tout émue de voir de jeunes êtres commencer à marcher dans le labyrinthe du monde. La mère est émue par l'enfant qu'elle a porté, le père par le jeune homme, la jeune femme au seuil d'une décision qui est toujours une épreuve, celle de s'engager dans le rouage social, d'y tenir sa partie si modeste soit-elle, d'y chercher une place où se sentir bien. Cet engagement se joue sur deux plans: l'amour, le travail. Le couple, première cellule sociale. La force de travail, une nécessité sociale. Avoir vingt ans n'est jamais facile, chaque pas compte et sur quel chemin qui élimine quel autre chemin: heureux qui se sent une vocation, qui sent un chemin sous ses pieds — «Que peut-il arriver à un homme à qui tout semble possible et qui voit tous les chemins ouverts devant lui? Rien, évidemment. Sauf la guerre (Walker Percy, *Le dernier gentleman*).»

La mère regarde son bébé, ses yeux ne sont que tendresse. Le père regarde le jeune homme, la jeune femme, il est un peu inquiet: que ne ferait-il pas pour leur donner une place. La mère et le père jouent aux anges gardiens: elle sourit au bébé, lui dit doucement des phrases dont il sent le rythme, il parle au jeune homme, à la jeune femme, de la difficulté de s'inventer un chemin, de trouver sa place dans un monde encombré.

Grand adolescent je me tenais loin des jeunes filles que je savais capables de se déployer en jeunes femmes et sans doute avais-je peur des femmes; marié, Pâque m'a ouvert la porte qui conduit au monde des femmes: maintenant j'aime marcher à côté d'une femme, jeune ou non. Que les hommes mûrs et mariés soient attirés par les jeunes femmes cela est aussi naturel que les femmes qui sont attirées par les bébés: la femme veut prendre le bébé, l'homme mûr la jeune femme. Ce qui attire, réjouit, c'est la naissance d'un être — la jeune femme, le jeune bébé, forts de toute la vie à venir —, le don qu'on peut lui faire — les «je t'aime» que les yeux et les mains murmurent. Ce qu'il y a de troublant chez la jeune femme pour l'homme mûr n'est pas tant comme on le dit souvent trivialement «la chair fraîche» — si ce n'est que cela le mâle est aveugle —, mais justement le mystère de la naissance; la naissance à l'amour et la possibilité de donner naissance à un nouvel être, ces mystères de la naissance, le jeune homme les manque souvent, occupé à se tailler une place dans le monde, ce n'est donc qu'en étant proche d'une jeune femme que l'homme mûr découvre ce qu'il n'a pas vu jeune; qu'il abandonne sa compagne pour cette jeune femme cela se voit assez souvent, et alors l'homme mûr répète l'erreur de sa jeunesse: il est incapable de voir dans le corps moins jeune de sa compagne la jeune femme qui s'est donnée à lui pour toute la vie. Quelle tristesse, d'un point de vue humain, de lire ces phrases d'une femme qui a «dépassé l'âge de la reproduction»: «Il est normal, du point de vue biologique, que les mâles soient attirés par des femelles qui sont au début de leurs années reproductives et qui ont encore envie de construire des nids, et si, quant à nous [les femmes abandonnées par leur mari], nous ne pouvons plus nous perdre dans les plaisirs et l'intimité du couple, eh bien, nous avons accédé à notre véritable identité (Sue Hubbell, *Une année à la campagne*).» L'homme qui fuit la vieillesse peut aussi rechercher une jeune femme mais cette fuite est vaine. Quand je serre dans mes bras ma femme mûre je songe à la nudité de la Danaé de Rembrandt, ce n'est pas la nudité franche du corps souple de la jeune femme que j'ai connue à vingt ans, c'est une nudité plus douce, lumineuse de tout le chemin fait ensemble, des pleurs et des rires qui sont autant d'étoiles au-dessus de ce chemin. La femme mûre, si son homme s'ouvre les yeux, peut encore se perdre dans les plaisirs et l'intimité du couple, et pourquoi n'en serait-il pas ainsi jusqu'à la fin. La peur de la vieillesse n'est-ce pas la peur de la mort. Qui va apprendre aux hommes à porter doucement leur vieillesse, à ne pas craindre la mort — il me semble que c'est Pâque qui me l'a appris.

J'ai vu des triangles de soleil dans des toiles de Betty Goodwin exposées à l'hiver 1988 au Musée des beaux-arts de Montréal; quand je feuillette le catalogue de l'exposition je ne les retrouve pas sauf dans «Figure» qui date de 1985-1986: un triangle obscur dans la poitrine d'un être humain trouve sa réplique glorieuse à l'épaule. Il me semble que tout ce que je vis dans le monde qui est le nôtre, qui est plus que la pellicule montréalaise-occidentale des années quatre-vingt, ressemble à ce passage entre le vide et le soleil, le coin qui creuse et la crête dorée de l'écume, l'angoisse de mourir écrasé par et la force de vivre à travers. Combien de temps ça prend à une voix pour en atteindre une autre, et quand nous avons atteint cette voix, qu'elle nous a répondu, combien de temps va durer l'amitié d'amour entre ces deux voix. Autre triangle de soleil: les propos de Brecht que Goodwin a gravés sur une plaque de métal en lettres majuscules: *OVERNIGHT, THE UNIVERSE HAS LOST ITS CENTER AND NOW IN THE MORNING IT HAS ANY NUMBER OF CENTERS. NOW ANY POINT IN THE UNIVERSE MAY BE TAKEN AS A CENTER. BECAUSE, SUDDENLY THERE'S PLENTY OF ROOM* — propos magiques qui multiplient les paroles.

La parole qui va loin lance des piquants de soleil à qui l'écoute. Les seules phrases qui comptent racontent nos naissances; quand il n'y a pas de telles phrases, que personne ne nous en dit, que nous ne recevons jamais de lettres d'amour, nous nous tuons. L'agitation et la dépression disent la même chose: l'absence de naissance. Qui ne naît pas à chaque jour meurt à chaque jour. Mourir est facile: il suffit de ne plus avoir de limites; vivre suppose que je reconnaisse mes limites — c'est la différence entre la transgression qui est régression à la matière, et le jeu qui est travail d'un sujet, danse d'un coresprit.

J'aime encore le jeu du soleil même s'il ne me frappe plus qu'obliquement: je suis sur le versant d'ombre, je descends tranquillement vers ma mort.

Quel plaisir d'être l'ami d'un homme ou d'une femme plus âgé ou plus jeune: il y a là une tendresse que nous n'avons pas avec quelqu'un de notre âge, celle de voir le chemin fait ou le bout qui reste.

Le cœur parce qu'il est sombre reçoit en lui toute la lumière de l'amour. Nous ne choisissons pas nos amours: elles arrivent, nous les saluons, passons toute notre vie à les sauver par le geste et le secret, le don et le pardon.

La plus grande rencontre: un homme ou une femme qui me révèle à moi-même, m'engage à être plus moi. Ne pas chercher à séduire, ne pas répondre à qui cherche à me séduire. Deux corps timides qui couvrent mal les mousses humides de l'âme, c'est assez pour qu'apparaisse une petite porte par laquelle ils entrent pour échanger des paroles rarement dites, parfois inédites. L'anneau de l'amitié va d'une main à l'autre par petits saluts-sourires, phrases légers coups de gong, silences qui tiennent à distance la violence du monde.

La beauté. Quelqu'un tient à sa voix. De la lumière dans les yeux. L'envie de caresser un visage, de tenir dans sa main la main de l'autre. Le goût de l'invisible. Une façon un peu curieuse de marcher: se perdre en chemin, ne pas être pressé. Ne pas craindre de dire «je t'aime» ou «j'aime cette femme, cet homme» ou «la vie est ailleurs que dans la bouche de tel individu». Tenir une promesse amoureuse: aller jusqu'au fruit mûr. L'intelligence quand elle a la légèreté d'une libellule. La terre parsemée de fleurs. Ne pas détourner les yeux de la misère. La lueur d'une bougie au milieu de la nuit. La joie d'un poème qui éveille le cœur. Un appel, un secret. Un sourire tremblant. Préférer les paroles tremblantes aux discours classés.

«Je veux dire un vrai amour, fort et chaud, Dr Campell, qui vous fait faire n'importe quoi pour quelqu'un qui vous aime. — Je ne sais pas encore grand'chose de ce genre d'amour, Miss Mélanctha (Gertrude Stein, *Trois vies*).» Deux voies à cet amour: l'une par l'union des sexes va au cœur, l'autre par la chaleur du cœur illumine tout le corps.

Je vais te manger, dit la mère à son bébé. J'aime quand tu me prends, dit l'amante; j'aime quand tu me touches, dit l'amant. Jésus donne son corps à manger, son sang à boire, à ses disciples. Hardiesse de l'amour: manger la chair délicieuse de l'autre, offrir sa chair, gestes que miment caresses et paroles pour dire que tout est partagé.

«Il se demanda quelle part s'était réservée l'amitié, la sympathie, quelle autre part avait un jour pris l'affection, peut-être même la convoitise. Il ne pouvait pas le dire. C'était, en lui, quelque chose d'incompréhensible. C'était vague, obsédant comme le secret d'un inconnu qui ne sait pas se faire entendre (Jean-Pierre Monnier, *La clarté de la nuit*)»; comme le pasteur marié de ce roman je me suis demandé comment nommer mes sentiments amoureux pour une jeune femme qui paraissait relancer ma parole plus loin que les autres, cela m'est arrivé deux fois: la première fois j'ai caché mes sentiments, la seconde je les ai dits. Pas facile pour un homme marié de savoir ce qui se passe entre lui et cette jeune femme qu'il a reconnue comme amie. Comment ne pas être troublé par cet amour: l'amitié entre un homme mûr et une jeune femme libre est peu courante. Si l'homme marié ne nie pas son amour pour la jeune femme, ne cherche pas une aventure sexuelle, aime toujours sa compagne, il peut arriver quelque chose d'assez beau: la liberté de parole qu'il y a entre lui et la jeune femme, la joie de parler loin avec elle, d'entendre sa parole qui ne craint pas l'intime, peuvent aider l'homme à redécouvrir à travers sa femme la jeune femme qu'il a choisie comme compagne, à retrouver le ruban de la robe de la fiancée, à revivre les premières étreintes, à mieux entendre sa parole, à voir comment sa parole d'homme s'est ouverte. Du côté de la jeune femme la parole intime d'un homme plus âgé permet de deviner ce que souvent les hommes jeunes qu'elle côtoie n'arrivent pas à exprimer, ou ce qu'un père n'a pas dit. Au-delà de cette écoute meilleure des autres il y a ce qu'il y a dans toute amitié grande: une douceur qui vient de la confiance donnée et reçue, un abandon et une nudité qui reposent de la civilité ordinaire. Si l'homme souffre parce que son lien avec sa femme et avec lui-même est difficile, la beauté risque de ne pas durer longtemps parce qu'il va faire du lien amoureux avec cette jeune femme si proche de sa parole une espèce de trophée secret, propre à flatter son narcissisme mal en point, mais propre aussi à mettre en place un dispositif de séduction où quelque chose n'est pas dit, n'arrive pas à se dire, créant une zone trouble où il peut imaginer et faire croire qu'il ferait bon s'y perdre, alors qu'il n'en sait rien, se doute même du contraire. La jeune femme peut alors, consciemment ou non, profiter de ce trouble pour tenter de prendre la place de la femme mariée, non pas nécessairement pour toujours mais en attendant de rencontrer l'autre de son âge et pour connaître ce plaisir d'être la préférée, flattant ainsi elle aussi son narcissisme, oubliant sa solidarité avec l'autre femme; la femme mariée le sent, en souffre, craint que son compagnon, même s'il l'assure du contraire, fasse comme tant d'hommes qui n'acceptent pas de mûrir-vieillir en partant avec des femmes parfois beaucoup plus jeunes. Pourquoi est-ce que je pense à la première phrase de *La pensée interrogative* de Jeanne Delhomme, phrase qui me hante depuis que je l'ai lue: «J'ai toujours su que j'étais plantée là: la période de naïveté où je ne faisais qu'un avec les choses, avec les autres, avec moi-même, l'harmonie où aucune rupture ne s'était produite, je la suppose, je ne m'en souviens pas.» Elle ajoute en continuant à parler une phrase de Nietzsche dans *Le gai savoir*: «Planté là au milieu de cette merveilleuse incertitude, *j'interroge* et *je suis interrogée*.» Je pense à cette phrase parce que j'ai été tantôt le premier homme, celui qui a une parole libre et bienveillante, tantôt le second qui a une parole trouble et incertaine; le premier me faisait croire naïvement que j'étais tout amour, toute clarté, alors que le second était toute blessure, tout malaise. Me promenant de l'un à l'autre, affichant surtout le premier qui prétendait aimer fortement sa compagne et la jeune femme, sentant secrètement le second pris dans l'incertitude, aimant mal sa femme et l'amie, leur faisant mal et se faisant mal, j'ai mis du temps à voir le second, ou plutôt à l'admettre, mon narcissisme en prenait un coup: on se dit tout aimant, tout aimantation, et on est tout blessé, toute séparation. Pourquoi j'aime tant *La jeune fille à la baguette* de Camille Pissarro sinon parce qu'elle est pure attente de l'autre, pure harmonie avec l'autre qui n'est pas encore apparu, demeure invisible même s'il doit bien exister quelque part comme le chante Danielle Messia dans *Safari*.

Mais quand l'autre paraît, apparaissent avec l'élan de
fusion de petites ruptures ici et là; être adulte c'est
comprendre ces ruptures, voir qu'elles viennent de
deux biographies différentes, les empêcher d'en devenir une grande, les dépasser au profit de noces pro-
mises par l'élan de fusion qui est aussi réel. L'amour
quand il est grand transforme tout en amour; il ne nie
pas les ruptures, il les enveloppe, les embrasse, pour
qu'elles ne soient pas des pierres d'achoppement mais
des pierres de taille pour bâtir une maison d'amour,
la pierre angulaire demeurant l'élan premier vers
l'autre.

Chaque fois que je rencontre une femme au regard vif-voilé au milieu du monde technique-pressé,
je suis troublé; cette vie forte-cachée me rend un peu
étourdi, je voudrais que cette chair lumineuse soit autour de mon cou «Comme un foulard de laine qui
tient chaud (Péguy)», alors quand j'arrive à la maison,
je serre un peu plus fortement la main de Pâque, j'ai
envie de la toucher délicatement, de paroles ailées.
Que cette femme soit le plus souvent jeune tient à mes
lectures, à commencer par la lettre d'amour de
Tatiana à Eugène Onéguine, au métier d'enseignant
au collégial (qu'aurait été ma vie si j'avais été routier
ou médecin comme je le rêvais jeune), à la jeunesse
qui n'a pas encore soufflé sur la flamme vacillante au
fond de ses yeux, encore un peu de temps cette
flamme sera éteinte, l'appel d'amour nié, on laissera
ces étincelles aux poètes. Les femmes au regard trans-
parent-inquiet m'attirent, de claires étreintes remplis-
sent l'air de douceur. Ce regard, des femmes jamais
ne le perdent, ou l'ayant perdu le retrouvent. À travers les yeux d'une femme que j'aime, tout son coresprit brille, sa chairâme; chaque fois qu'une femme et
un homme se saluent, saluent dans l'autre quelqu'un

qu'ils aiment totalement, leur chair est illuminée, connaît quelque chose de l'étreinte des amants sans pourtant avoir accolé leur corps ailleurs que dans l'imaginaire.

Quand je marche dans une maison je sais de qui l'habite l'absence (les pièces sont celles d'un magasin), le fétichisme (beaucoup d'objets singuliers), le dépouillement (les meubles essentiels, simples), le goût (couleur et densité de l'atmosphère).

Maintenir la clarté dans un monde faux, cela tient à une résistance qui doit remonter à l'adolescence, ce moment où l'on découvre comment le monde est en crise, tendu entre l'apparaître et l'être. Les pères admirés deviennent des idoles qui basculent dans la poussière, des cibles presque trop faciles: on s'exerce à tirer jusqu'à la nausée. On fait le vide et si on est impuissant à retrouver en soi une étincelle d'amour pour voir autrement la lignée des pères, c'en est fait de la résistance, il n'y aura plus que de la violence, muette ou non. «Si je suis dans la boue et que vous m'y laissez, vous vous souillez vous-mêmes. Si vous m'aidez à grandir, vous grandirez vous-mêmes (Julius Nyerere à Jacques Leclercq, *Debout sur le soleil*).»

Longtemps j'ai trouvé plus naturelle l'homosexualité féminine parce que des discours de féministes m'avaient convaincu que les hommes étaient la plupart du temps des êtres trop loin de l'amour, incapables d'aimer fortement; je ne pense plus ainsi, j'ai appris à aimer la différence masculine après avoir voulu couper la tête aux pères. Les pères sont aussi nécessaires pour les enfants que les mères: les hommes sont à leur origine autant que les femmes, le nier perpétue la guerre des sexes par l'absence d'un sexe.

Tant qu'une fille n'est pas aimée, elle n'est pas une femme, elle ne naît pas à la féminité, elle ne devient pas la plante-passion s'ouvrant-enveloppant. La féminité joue la proximité des corps, l'innocence de la terre, l'arabesque des caresses, la chaleur de la maison. Tant qu'un garçon n'a pas de travail, il n'est pas un homme, il ne naît pas à la masculinité, il ne tient pas l'outil-action œuvrant-ouvrant. La masculinité propose la maîtrise de l'outil, l'abstraction du savoir, la manipulation du réel, l'ouverture au monde. L'homme calcule, distingue, la femme chante, rassemble. J'ai rencontré des femmes qui m'ont appris à penser et des hommes qui savent aimer: le plaisir de sentir en soi les deux courants s'unir.

Le jeune homme: qu'est-ce que j'en sais. Travailler fort pour décrocher un rôle dans la collectivité, rêver d'une jeune femme qui serait une lampe au milieu de la nuit, lui apprendrait le langage de l'amour. Avoir l'impression que le monde est faux, se lever pourtant le matin afin d'y trouver un alvéole où il soit possible de ne pas mentir. Avoir de la difficulté à parler ce qui s'agite à l'intérieur, ce qui est enfoui, être tiraillé: le chemin pris sera-t-il bon. Pourquoi les jeunes femmes me paraissent-elles souvent plus fortes que les jeunes hommes. Les unes, soutenues par la montée des paroles de femmes, se lèvent, découvrent, disent les forces qu'elles sentent en elles; les autres paraissent dans des impasses, comme si leurs pères ne leur avaient montré que la fuite — ils font des textes drôles pour paraître maîtriser ce qui les blesse (qu'est-ce qui les blesse: des propos comme ceux de cette jeune femme me disant que les hommes manquent de courage, ne se tiennent pas debout, sont incapables de s'engager avec une compagne intelligente, qui a soif de vie), des textes brillants où le réel est un ensemble

de mobiles qu'ils décrivent minutieusement (des ingé-
nieurs qui dans leurs structures oublient l'amour, le
cachent, le raturent), des textes sacrificiels où la vic-
time au fond est toujours un jeune homme enveloppé
de rage ou fêlé par quelque secrète blessure qu'il ne
dit pas. Nous vivons à un moment de retournement:
les filles disposent de modèles, des femmes qui prennent la parole dans le monde et non plus des mères-
servantes usées par la vie, les gars non, tout se passe
comme si les anciens héros n'étaient plus que des sta-
tues tombées de leur piédestal. Comment arriver à ce
qu'une femme et un homme se parlent doucement:
une femme est-elle assez intelligente pour ne pas of-
fenser un homme, un homme est-il assez vivant pour
entendre la parole d'amour que lui murmure une
femme. Si les filles ne craignaient pas l'image de la
mère consolatrice, elles sauraient réparer les blessures
des petits garçons; si les gars pouvaient avoir des
pères à l'écoute de tous, ils ne craindraient pas d'aller
jusqu'à l'âme des jeunes femmes, ne craindraient pas
non plus de sonder la leur. Si nos âmes n'arrivent pas
à se saluer, c'en est fini du plaisir de vivre ensemble, il
n'y a plus que violence, solitude, vide. Comment élever des enfants dans la beauté du salut si nous
n'avons pas été salués dans notre différence, si nous
ne savons pas saluer l'entièreté de l'autre. Y a-t-il
beaucoup de jeunes hommes qui pourraient dire: «il
n'y a qu'une chose qui soit essentielle, pour moi.
L'Amour d'une femme (Gaston Miron, *À bout portant*).» Combien de jeunes femmes sont prêtes à
prendre dans leurs mains le mystère d'un homme, ce
mystère n'est pas son pénis mais une histoire ancienne où le phallus était honoré dans des fêtes secrètes. La fleur bleue et le phallus d'or sont nos
armoiries. J'avais été choqué par l'épigraphe que Jean
Sulivan avait placé dans son roman *Car je t'aime ô*

Éternité!, une phrase de Nietzsche: «Jamais encore je n'ai trouvé de femme de qui je voudrais avoir des enfants, si ce n'est cette femme que j'aime: car je t'aime, ô Éternité.» Cette phrase me semblait une phrase de prêtre à qui la femme est interdite, elle me chagrinait parce que j'avais trouvé Pâque, qu'elle m'avait trouvé, que par la suite j'ai rencontré quelques femmes avec qui j'aurais aimé avoir des enfants. Cette phrase des hommes la disent-ils encore, il y en a une autre, aussi grave, que j'entends dans la bouche d'une jeune femme: «Je n'ai pas encore trouvé un homme avec qui je voudrais élever des enfants, les hommes sont absents, l'amour est mort, je ne renonce pas à l'amour.»

L'amitié est une terre qu'il faut remuer avec délicatesse; chaque fois qu'un peu de brutalité y arrive, elle risque de disparaître. J'ai parfois avec mes amis de lourds sabots: saurai-je un jour marcher pieds nus.

Un homme change de compagne, en prend une plus jeune, plus dynamique, plus sensuelle, moins inquiète, moins fatiguée, moins pleureuse, moins pensante, moins vieille. Qu'a-t-il fait pour chasser son inquiétude, ne pas l'augmenter, diminuer sa fatigue, consoler ses pleurs, partager sa pensée, adoucir sa vieillesse, garder intacte la promesse de sa jeunesse, sentir son élan de vie, trouver les caresses qui sont bénédictions. Un homme peut tout pour une femme. Personne ne peut rien pour personne, dit-on parfois, ce n'est pas une consolation, c'est un mensonge. Qu'est-ce qu'une femme peut pour un homme qui ne voit plus pourquoi il fait tout ce qu'il fait, ne trouve pas de sens à sa vie, s'engourdit dans l'alcool, est un bourreau de travail, cherche un père et n'en trouve pas, niaise, ne sait pas parler à ses enfants, ne dort pas la nuit, se réfugie derrière des idées qu'il a endossées sans les penser jusqu'à leur source. Elle peut tout à condition de trouver la petite porte secrète qui mène au milieu du cœur dévasté. Comment marcher dans un tel cœur sans écraser la main du petit garçon qui salue de ces cinq doigts le soleil et la pluie.

L'amour arrive chaque fois qu'un «je t'aime» est dit doucement et reçu. Des clochettes dansent dans l'air. L'un tend la main, l'autre la serre. Pas de règles pour l'amour mais l'enfant, le poème, le secret, le tremblement, la source, la parole, le cadeau, par-dessus le vide de l'ordre établi. Michel-Ange peint la voûte de la chapelle Sixtine, Bach écrit la cantate pour la fête de la Visitation, Bergman filme *Les fraises sauvages*, je donne un cadeau à un enfant, à un adulte, pour saluer sa présence au monde, dire ma joie qu'il soit né, mon attachement.

Quand une femme dit à un homme «parle-moi», l'homme souvent devient muet; il sait bien que la femme veut l'entendre parler la langue d'amour, or il ne la sait pas. Pas de cours dans son programme d'étude sur ce sujet: fort heureusement sinon il s'érigerait vite maître d'amour. Combien de filles de vingt ans trouvent décevants les jeunes hommes, combien vont se laisser séduire par les propos d'un homme mûr marié, ou vont séduire facilement ces bananes tigrées que d'autres femmes avaient prises vertes. D'où vient qu'ayant les mêmes parents, les mêmes cours, les filles sachent la langue d'amour et les garçons non. Cela tient-il aux poupées dont elles prennent soin et aux fusils qu'ils tiennent pointés vers leurs adversaires, à leur vagin-caverne et à leur pénis-tour. Un homme qui sait parler d'amour, une femme le lui a montré. La femme qui dit «parle-moi» sait bien que l'autre ne sait pas, elle met dans l'embarras le petit guerrier qu'elle aime, qui prétend à une place, à un savoir. La suite de l'histoire dépend du guerrier: acceptera-t-il d'être initié à la langue qu'il a perdue en chemin — à quel endroit précis a-t-il laissé tomber cette langue précieuse: serait-ce à ce détour de la route où un menteur lui a dit que le sperme ne jaillirait bien haut que si les larmes cessaient: «Fais un homme de toi, ce sont les filles qui pleurent.»

Anges et fantômes jettent sur ma vie une douceur de clair de lune: amis qui apportent des messages. La prière que je préférais enfant était celle à l'ange gardien.

Je sens sur moi comme un vêtement joyeux qui me vient de fragments clairs entrevus ici et là, je sais que la vérité et la beauté poussent dans une ronde où le vrai et le faux se donnent la main, échangent leurs couleurs — qui n'a jamais vu le faux devenir vrai, et la vérité mutilation.

Parler loin c'est parler proche. Apprivoiser le feu. Marguerite a le feu dans le regard» dans *Le Saint-Élias* de Jacques Ferron. Et «cette ligne de feu», «cette brûlante surface» entre deux pensées, «deux regards l'un dans l'autre (Maurice Merleau-Ponty, *Signes*)». Qui sait tenir le feu au creux de ses yeux, en éprouver une grande fraîcheur.

«Je traverse des guerres contre moi-même dont je ne sortirai jamais que désarmée. Plus je grandis, plus je me déshabille. Plus je suis nue, plus ma bouche parvient à dire les syllabes de l'amour (Andrée Pilon Quiviger, *L'éden éclaté*).» J'aimerais dormir avec chaque ami, chaque amie, quelques nuits, pour sentir plus fortement leur nudité comme je sens celle de Pâque à côté de moi, et la mienne à côté d'elle. Enlever ma carapace, parler nu, quelle joie. Je ne vais pas aux réunions mondaines: j'étouffe s'il y a trop de monde; quand j'y suis forcé et que les étourdissements viennent, je sors avant de tomber.

Le mariage et l'amitié sont deux formes d'amour, d'intimité, de complicité, qui connaissent des moments forts et des éloignements. Leur différence ne tient pas à l'intensité de la force amoureuse, elle tient à la vie quotidienne partagée dans le mariage et à la présence intermittente du corps de l'autre dans l'amitié. Le mariage nous donne une maison, l'amitié nous donne des belvédères.

Le lien à chaque être est unique: ce ne sont pas les mêmes clartés, les mêmes secrets que nous partageons.

J'ai été jaloux de l'attention que Pâque a donné à Yannick, notre premier enfant, jaloux du plaisir qu'elle avait avec tel ami: je ne pouvais comprendre que j'étais à la source de cette attention, de ce plaisir.

Être caressé-caressant, pénétrer, jaillir dans l'autre. Être caressée-caressante, être secouée, ensemencée par l'autre. Deux algues bleues. Deux lézards. Pistil et étamine au centre de la corolle. Qu'est-ce qu'un homme sent quand le pénis tendu est loin dans le vagin mouillé d'une femme, à quoi est-ce qu'il touche, à quoi touche-t-elle, qu'est-ce qui se joue quand l'excitation est si grande qu'il n'y a plus de maîtrise, qu'est-ce qui éclate. Quand un homme dit à une femme «prends mon pénis, il est à toi, enfouis-le en toi», quand une femme dit à un homme «caresse mes seins, ils sont à toi, embrasse-moi partout», qu'est-ce qui se dit sinon la première union: chaque couple qui fait l'amour rejoue l'union première qui a créé l'espèce. Faire l'amour mime la naissance de la femme et de l'homme, touche au mystère de l'origine.

Dans le texte d'une fille de dix-huit ans: «Elle riait; l'alcool la rend toujours un peu euphorique (elle aime faire l'amour quand elle a bu. Les interdits n'existent plus) [...] Dehors. La pluie. Le taxi. Ils devaient tous rentrer. J. L. était assis devant et les trois autres sur le banc arrière. Elle, elle était couchée de tout son long et se laissait caresser. Elle riait de ne pas savoir à qui appartenaient les mains dans sa culotte. (Elle ne sait toujours pas d'ailleurs.) Pouvoir embrasser à pleine bouche tous ceux qu'elle aimait. [...] Elle ne se rappelle pas avoir déjà été si heureuse (Julie Bosman).» L'alcool fait rire, et le rire permet la régression: la jeune femme n'est plus qu'un bébé qui rit de toutes les caresses qu'on lui fait, qu'une bouche qui se mêle à d'autres bouches, les bouches n'ont pas de nom, ce sont seulement des langues mouillées. Il y a là à n'en pas douter du plaisir. La jeune femme peut-elle être toujours un bébé qui jouit et dont on jouit, désire-t-elle avoir un compagnon avec un nom qui pourrait lui permettre d'être un bébé sans avoir recours à l'alcool: le plaisir ne serait-il pas aussi grand, peut-être plus grave, plus fort — il n'y a alors pas d'autre interdit que ce qui se dit entre elle et lui, le plaisir a deux noms, deux visages où tremblent tous les âges, de cette intimité peut naître un troisième visage. Quand j'ai trouvé l'autre qui me donne à embrasser tout le monde et moi à travers lui ou elle, je n'ai plus besoin de me soûler, il n'y a plus d'interdit.

Je n'ai jamais fait l'amour qu'avec Pâque. Il y a dans l'étreinte amoureuse non seulement cette pulsion sexuelle déferlante, jouissante, puissante, mais aussi cette nudité-fragilité qui appelle le plus grand respect de l'autre: à la suite de l'étreinte, dans le souvenir de la force qui nous a traversés, la parole trouve une justesse qu'elle n'a pas souvent. Jamais eu envie de partouzes où toutes les chairs s'offrent, s'exercent; j'aime le secret du face-à-face où tous les autres ne sont présents que par les deux qui s'élèvent dans le feu de leurs yeux. Jeune j'avais aimé *Le bonheur* d'Agnès Varda et *Teorema* de Pier Paolo Pasolini, on lisait Reich et Marcuse, la liberté sexuelle ferait fleurir l'amour sur la terre, mettrait fin à la guerre du Viêt-nam. Pâque n'a jamais partagé une telle utopie. Plusieurs ont vécu cette liberté sexuelle dans leur corps, je me suis contenté de la penser-désirer; je ne le regrette pas même si parfois je dis en riant que j'aurais aimé faire l'amour avec des inconnues pour goûter la variété des peaux, connaître la ressemblance des cœurs, c'est là plus parade de virilité que réalité. Il y a un mystère de la proximité des chairs: les caresses qui s'échangent sont originelles, originaires, rejouent le secret des étreintes qui sont à la source de nos naissances. Les caresses d'un couple sont sa maison, les fondations de son histoire. Je n'ai qu'un corps, ne peux être tout entier qu'à un autre corps. Si l'homme a des désirs polygames, cela tient à ce qu'il met du temps à saisir que son pénis est autre chose qu'un jouet; l'homme ne trompe pas sa femme: il tire de son pénis comme petit garçon il tirait de son fusil-jouet. L'homme polygame est un enfant qui continue à jouer dans la ruelle tard le soir, qui n'a pas su ce qu'il faisait quand il s'est marié. Un homme devient le compagnon d'une femme quand il sait dans sa chair ce que veut dire ne faire qu'une seule chair avec une femme: il y a deux corps et pourtant une seule chair. L'homme met beaucoup de temps à dire je suis ma femme, ma compagne est dans ma chair autant que

j'y suis. Quand il y arrive, tout s'éclaircit: les autres
femmes ne sont pas des aventures possibles, elles sont
des êtres qui peuvent devenir des amies avec qui
l'amour se fait plus aérien, non qu'il ne passe pas
dans la chair, il y passe comme des yeux se croisent
dans leur lumière. Ces femmes amies sauront reconnaître dans les yeux de l'homme la lumière de ceux de
sa femme, c'est pourquoi il n'y aura ni rivalité ni indifférence entre elles. «je comprends bien la douceur
qui vient d'une amitié avec un homme (pour toi, une
femme), m'écrit une amie — pour moi l'amour n'est
pas limité à telle ou telle situation — il est la seule lumière puissante qui illumine et purifie et le corps et
l'esprit (par certains moments l'amour du sacré —
présence imprévue — purifie l'âme) — moi, j'*aime*
mes amis avec une véritable passion, mais c'est une
passion fidèle à l'avenir et jamais dévastatrice, dévo-
rante — je me donne à une *amitié* totalement, complètement, mais pas à un *ami*. ce qui est "entre nous"
dans une amitié c'est l'amour. ce qui nous soutient,
c'est l'amour. mais je réserve la substance-amour pour
la vie avec mon mari.»

Qu'aurais-je été sans Pâque, sans une femme qui
me renverse: un intellectuel fort de sa pensée et en-
fermé dans une méthode critique, un moine traversé
par la prière et orgueilleux de son humilité, un
homme apparemment doux et secrètement amer. «Un
homme qui n'a pas de femme dans sa vie, d'une ma-
nière ou d'une autre, n'est pas un homme (Jean Sulivan, *Joie errante*).» Une connaissance intellectuelle ou
mystique qui n'est pas fondée sur une connaissance
charnelle est sans intérêt. Envie de dire «je t'aime
dans ta chair» aux femmes et aux hommes qui bai-
gnent dans la vie. Sans Pâque qu'aurais-je su des
larmes d'amour: combien de fois m'ont-elles amené à

quitter ma forteresse de dureté, mon habit de colère, à briser le masque tristefroid que j'avais posé sur mon visage.

Qui s'étonne du triangle dans les histoires d'amour: le troisième point est l'étoile des deux autres, le jeu du monde entre eux. Autrement il y aurait une ligne droite, l'horizon plat. Le troisième point dresse un chapiteau, force la droite à vibrer, les amants à devenir funambules. Ce point est toujours, même lorsqu'il est occupé par l'autre femme ou l'autre homme, l'espace de l'enfance, du temps premier de la naissance. L'enfant, on le sait, peut être tenté de pousser l'un des amants pour prendre sa place sur la corde d'amour; si les amants ne se quittent pas des yeux, l'enfant ou l'autre partent dans le monde chercher quelqu'un avec qui tendre une nouvelle corde. Que cet autre apparaisse de temps en temps au cours d'une vie n'a pas à nous surprendre: chaque fois qu'il apparaît il réactive le jeu du désir, l'élan narcissique, mais le couple qui a su remonter sur sa corde ou s'y maintenir le saura chaque nouvelle fois. L'amour n'est pas donné une fois pour toutes, il faut de la vigilance et des luttes claires pour sauver son feu.

L'ami qui me confie une partie de son secret me dit une partie du mien: si j'aime un homme, une femme, c'est que j'y trouve une partie de moi, de là mon trouble. «Comment expliquerais-je l'Ami à quelqu'un pour qui il n'est pas l'Ami (Jallal-Uddin-El Rumi, texte recueilli dans *La voix des choses* par Marguerite Yourcenar)?»

Des jeunes croient faire la fête en bandant, buvant, pendant que des musiques crient leurs manques; ils s'excitent, deviennent vides, affamés. Si

l'alcool, le sexe, le rock attirent, c'est que la famille-
famine et le travail-corvée en conduisent plusieurs au
refus de tout: on avorte parce que le monde paraît
foutu, comment sourire aux autres quand on ne songe
qu'à se défoncer pour oublier un monde mutilant,
une famille qui n'a pas aimé notre différence, soutenu
notre envie de création, des parents mal mariés, mal
séparés, un milieu de travail où la concurrence épuise,
où l'argent amollit. Sans amour durable qui crée un
espace où des enfants peuvent apparaître, sans un travail qui rend solidaire d'une collectivité, la fondation
d'une maison est presque impossible. Qui s'étonne si
des jeunes sont condamnés à l'errance, au vagabon-
dage, refusent tout dialogue, ont refoulé toute délicatesse.

Pourquoi comme Wolf Solent suis-je prêt à dire:
«j'ai souvent l'impression d'être injustement privilé-
gié... comme si quelque divinité invisible me favori-
sait indûment...» Comme si l'ange gardien de mon
enfance n'avait cessé de me couvrir de ses ailes. Je n'ai
pas à me suicider dans le métro comme les deux
jeunes adolescentes de *Sonatine*, je ne suis pas seul
comme l'homme séparé de *Trois pommes à côté du sommeil*. J'avance dans ma vie avec une compagne que
j'aime et qui m'aime: une fois que je me suis senti
aimé à fond il me semble que je ne peux plus craindre
aucune séparation, que cet amour qui m'a embrassé,
les femmes et les hommes autour de moi en reçoivent
des étincelles, que ces étincelles sont inépuisables. Je
n'ai été aimé que d'avoir parlé ce qui me brûle: l'air
arrive par le passage du feu; je n'ai été désaltéré que
d'être tombé: l'eau jaillit de la terre. Qui dit: j'aime ton
feu, voici de mon eau. À qui, mettant sa confiance en
moi, pourrais-je refuser de dire: ton feu est bon, mon
eau est à toi comme à moi.

Une jeune femme maquillée avec élégance joue avec une manche de la veste d'une femme âgée délicatement maquillée: la jeunesse se lie à la chaleur d'une peau qui a senti sur elle, en elle, tant de saisons, tant de paroles. La parole va douce d'une bouche à l'autre, les yeux brillent. Qui connaît cette joie en naît.

Des femmes vivent toujours en pantalons. Pas de robes, pas de jupes. Des tuyaux étroits, fermés, plutôt que quelque chose d'ample, d'ouvert. La robe par sa coupe révèle la différence de l'amante, par sa rondeur la caresse de la mère. Le pantalon dérobe la femme, la robe enrobe l'homme. Des hommes sont rassurés par des femmes en pantalons, ils imaginent la ressemblance plus forte que la différence. Y a-t-il des femmes qui désirent des hommes en robe.

Le carré d'amour, le corps d'amour. Mon épaule touche à ton épaule, je m'appuie à ton dos, je respire, l'air et la parole circulent entre l'ami et l'amie. Je ne me lasse pas de regarder ton visage, tes jambes dans l'eau, une tendre sensualité danse entre nous. Est-ce que je rêve au feu de ton pubis, ai-je envie de poser mes lèvres sur tes pieds: qu'est-ce que je sais de la passion, de la différence sexuelle entre l'amant et l'amante. Nous sommes par terre, je touche à ton nombril, je le trouve drôle, j'ai envie de dormir avec toi, de semer dans ton ventre des enfants qui ressemblent à nos mains qui tiennent au chaud nos cœurs. Notre carré d'amour, nous ne connaissons pas d'autre secret pour qu'entre nous l'intimité soit éternité.

Combien de fois ai-je écouté la *Cantate de Noël* de Honegger, Prévert chanté par Catherine Ribeiro, des cantates de Bach, *Die Zauberflöte*, les symphonies de Mahler, les chansons de Colette Magny, de Janis Joplin, de Danielle Messia. Qui voit sur ma peau les toiles de *La suite Helga* d'Andrew Wyeth, le travail pictural de Nancy Spero, les dessins de Georges Lemoine.

Les femmes et les hommes que j'aime connaissent la solitude et aiment l'amour. Ils entretiennent des jardins, marchent dans les bois, montent sur les montagnes, traversent la toundra. De rares visites nous assurent que l'autre n'est pas un fantôme; souvent je regrette qu'ils ne soient pas mes voisins: j'irais après le repas du soir parler avec eux et elles ou nous mangerions ensemble. Un ami qui est trop occupé pour répondre à mes lettres m'apparaît de temps en temps en rêve pour me sortir d'un mauvais pas: je lui en ai touché un mot et il n'a pas paru surpris.

Je suis heureux, terriblement. Pas de trop grand prix à payer pour obéir à sa singularité: aucun goût pour la souffrance mais prêt à souffrir pour tenir ma parole franche, libre de son amour et de sa vérité. Si je mentais je ne pourrais plus m'aimer. Combien d'années pour saluer l'autre avec un regard clair, lui tendre la main.

Quatre hommes marchent dans mes pas: le premier est un paysan, il contemple la nature, travaille autant de ses mains que de son cerveau, chante doucement; le deuxième est à genoux dans une église romane, il sent la présence de Dieu, aime l'histoire de Jésus: sa parole est toujours proche; le troisième est un artiste: il joue avec les formes, cherche à en faire sortir une voix neuve, fraîche; le quatrième est un homme d'étude, il a une grande bibliothèque: il dialogue avec les anciens et les modernes. Il y a un nouvel homme dont je me tiens loin: l'homme de la technique qui programme l'homme de la masse et la matière du monde, n'a rien à faire de la contemplation de la nature, de l'amour du prochain, de la parole du poème, du travail de la vérité. Je passe un après-midi à regarder le fleuve, mon fils de seize ans a hâte d'avoir une automobile, regarde avec envie les avions passer dans le ciel — Brecht dans *Journal de travail*: «la beauté d'un avion a quelque chose d'obscène»; j'entre dans une église, Yannick joue au piano; j'écris des lettres, construis des livres, il joue au ballon-panier, au tennis; j'aime le cinéma d'auteur, il regarde des video-clips, des spectacles pour faire rire. Il me trouve bizarre: je n'aime pas les machines et je ne suis pas la mode; il appartient au monde de la vitesse, j'aime la lenteur. Nous nous aimons, nous devinons sous nos différences le salut de l'autre; Yannick a commencé à tenir son journal dans un grand cahier bleu, à écrire des lettres. Quatre femmes marchent dans mes pas: la femme enceinte, la femme pleureuse, la femme soleil, la femme curieuse. La première donne la vie, la deuxième lave nos yeux, la troisième cultive un jardin, la quatrième aime parler. Ma fille de onze ans ressemblera-t-elle à ces femmes qui dorment à mes côtés. Je regarde Catherine et je nous reconnais en elle: je sais d'où viennent sa fragilité, son goût pour la lecture, son besoin de tranquillité, son plaisir à danser, sa gravité, sa fantaisie. Elle aussi a commencé son journal: une clef protège ses secrets.

Trois cartes postales sur mon bureau: une photographie d'Alecio de Andrade, *Au Grand Palais*, une petite fille monte en courant un grand escalier de pierre; un dessin d'Alberto Giacometti, *Homme traversant une place par un matin de soleil*; une photographie d'Henri Cartier-Bresson, *Hyères*, un cycliste passe sur une rue pavée, un escalier descend à la rue. Trois fois quelqu'un

avance seul dans le jour du soleil sur une place publique. Je suis un passant, j'emprunte des rues, des
routes, je traverse des morceaux de monde. Les enfants, les femmes, les hommes que j'aime, je n'oublie
pas qu'ils passent, étoiles filantes dans le ciel de ma vie.
L'escalier: une échelle entre deux mondes, le monde
d'en haut vous fatigue, vous descendez, le monde d'en
bas vous n'y avez pas de joie, vous montez.

Se voir sur une photographie la peau lisse alors que
maintenant le visage est marqué par les plis du monde,
les rides de la vie. Ne pas en éprouver de regret: se reposer doucement dans le creux des sillons. Regarder une
montagne couverte de neige, des pommiers sans
pommes. Assez souvent je suis resté à regarder «mon»
image dans un miroir, j'essaie encore, cela ne donne
rien, je ne sais pas qui je regarde, un fantôme, il me
semble que pour moi je n'existe pas. Une amie à partir
de ma photo à la fin de *L'atelier du matin* a fait un portrait
au fusain; sur la photo une lumière tranquille vient du
visage, du sourire légèrement perceptible, le fusain, au
contraire, montre un visage tourmenté, les yeux sont
deux charbons noirs angoissés — l'amie faisait ressortir
la blessure sentie dans mes textes. J'ai gardé quelques
années ce portrait mi-cubiste, mi-expressionniste, sur
ma table de travail pour ne pas fuir mon mal à être, puis
un jour où j'avais acheté une lampe-libellule que je trouvais belle pour remplacer celle où était appuyé le dessin, j'ai su que la tourmente qui apparaît dans *L'atelier
du matin* était terminée, qu'il n'en restait que la lumière.

L'un va, souvent il est pressé d'arriver; arrivé, la
déception l'attend, il la cache et en meurt. L'autre va
sans savoir où il va, le cœur comme aimanté il n'a pas
besoin d'arriver, il ne cesse de marcher, il part il arrive, il arrive il part, il passe.

Autoportrait rapide. La misère: ne pas entendre l'autre. J'aime vivre dans une rue tranquille bordée d'érables qui s'embrassent l'été. J'ai de l'indulgence pour la vanité des forts, la peur des faibles. Athanasius Pernath et Philip Marlowe viennent parfois s'asseoir la nuit sur le balcon de notre chambre-atelier. Souvent je pense à la pensée d'Antonio Gramsci qui ouvre sa prison, au regard de Pina Bausch, à ses petits seins qui appellent la paix, c'est pourquoi elle danse la perte. Mes héroïnes: Jeanne d'Arc, Julienne, Hester Prynne, Dora, Gertrude Imthor, Virginia Woolf, Katherine Mansfield, Clarice Lispector, Colette Magny, Hélène Cixous, Catherine Ribeiro. Sur les murs de mon cerveau des toiles de Vermeer et de Rothko. Quand je travaille il y a souvent de la musique. J'aime la compagnie d'hommes doux, de femmes intelligentes, que la fidélité à la vie rend libres d'aimer. Si j'avais d'autres vies je serais danseur, horticulteur, éditeur, pédiatre, romancier réaliste. J'ai le ton tranchant: suis un sauvage ému par la bonté. Le plus grand malheur: la mort de Pâque, comment tenir debout sans elle, pourtant il le faudrait: elle serait en moi, ses yeux regarderaient à travers les miens. Un moineau sur l'herbe, des marguerites, un livre de lettres: comment alors avoir du mépris pour qui que ce soit, rien que de la tristesse, de la pitié pour qui passe à côté de l'amour. J'aimerais mourir de vieillesse un jour de mai ensoleillé en fin d'après-midi sous un pommier en fleurs. N'ai pas de devise, je vise la joie, quelque chose comme «vivre et laisser vivre» ne me déplairait pas.

Ce matin le printemps est là, de petites fleurs aux couleurs vives dans la cour le piquent dans mon cœur. Je pense à la conversation que j'ai eue hier avec une amie inconnue, au tremblement léger que nos paroles m'ont donné, au beau livre de Benjamin Fondane,

Ulysse, dont tant de vers m'appellent: «Cette nuit je suis seul avec ma lampe nue» / «tout seul j'arrache le secret, bribe par bribe» / «J'ai tant de vie en moi qui voudrait sourdre, / tant de moulins à vent qui voudraient moudre». Je suis comme un pommier qui veut connaître le secret de ses fleurs, de ses fruits, qui rêve de la douceur de la chair de la pomme, de son jus, de l'avenir des pépins, de sa décomposition dans la terre. Qu'est-ce que je fais de ma vie. D'où me vient toute cette fièvre à parler, à écrire: «l'écriture pour qui s'y livre sans protection est l'équivalent d'une ascèse et d'une psychanalyse. Elle te conduit au désert, à l'humilité biologique (Jean Sulivan, *Joie errante*).» Mon secret: j'ai besoin de l'autre. Les autres me tuent et me sauvent, me tuent par leur absence-mort — «j'ai vu tant de vivants devenus tout à coup / des morts» (Fondane) —, me sauvent par leur présence-vie — «Parfois cependant il y a des regards qui célèbrent des noces, la libération est proche (Sulivan)». Quelles différences, quelles ressemblances y a-t-il entre la prière, l'analyse, l'écriture, l'enseignement, la vie avec une femme, comment s'y joue mon rapport à l'autre. Qui est ce Père que Jésus appelle mon Père, qui sont ces hommes, ces femmes, venus s'agenouiller dans la même église, cette analyste qui m'écoute parler de mamanpapa, ces hommes, ces femmes que je croise dans Montréal, pour qui j'écris, ces jeunes gens à qui j'enseigne, cette femme que j'étreins, ces enfants qui vivent avec nous, ces compagnons, ces amies qui me sont des âmes sœurs. Je vais vers l'autre, cette marche n'est jamais sans tremblement. L'autre selon les lieux, les moments, est pluriel ou singulier, familier ou innommable: pluriel et familier dans la ville, à l'église, dans la salle de classe, dans les réunions; singulier et familier dans la relation de service, le voisinage, les liens de famille; singulier et innommable dans la chambre d'amour, la conversation intime; pluriel et innommable dans le moment de prière, le bureau de l'analyste, le travail créateur. Toute vie est un ballottement entre solitudes et rencontres: quand la solitude est trop forte on meurt, quand la rencontre est trop forte on tremble. J'aime les tremblements.

Questionner est le propre de l'espèce humaine bien plus que le rire: je questionne et je suis questionné. Quelles petites questions font apparaître de grandes questions qu'on préfère parfois éviter soit par crainte, soit par manque d'étude. Des questions ne sortent pas de ma bouche parce que j'imagine que les oreilles des autres ne sauront les entendre, pour garder un mystère où ma vie est plus belle: mon corps ne sait-il pas déjà les réponses. À quoi peut ressembler une grande question, est-elle plus grande si je ne la formule pas, la laisse être dans ma chair. Il y a des questions-assauts: j'interroge l'autre et ma question écrase déjà sa réponse; des questions-curiosités: la variété du monde est-elle réelle; des questions-accompagnements: j'aide l'autre à dire sa parole le plus justement possible; des questions sans point d'interrogation: comme des présences si fortes qu'elles sont comme des réponses secrètes. Qui me pose les bonnes questions pour que je trouve ma place dans le monde. Ne poser des questions qu'à qui se questionne: la plupart n'ont que des réponses à des questions qu'ils n'entendent pas. Questionner est-il près de prier: qu'est-ce qui est demandé. Je ne dis pas toujours les réponses que j'ai en moi comme pour garder leurs forces encore un peu, être sûr d'elles: comment répondre en étanchant la soif et en la gardant aussi grande. Une petite question me trouble: pourquoi est-ce que je ne suis pas bien chaque fois que Pâque décide de transplanter un arbuste dans notre petite cour. Quelles grandes questions cette petite vient-elle agiter: quelles sont mes racines, comment sauver la vie, m'aimes-tu, suis-je capable d'aimer, de quoi ai-je peur. Est-ce que je pose des questions parce que j'ai peur de ne pas être correct ou parfait: y en a-t-il qui préfère aux questions les chants et les histoires. Toutes mes questions me ralentissent-elles ou m'avancent-elles sur le chemin de ma vie: sont-elles des obstacles à surmonter pour arriver là où il n'y a plus que la présence douce à l'autre. Je n'aime pas les questions des interrogatoires, tigres de papier qui font peur aux individus qui n'ont d'autre réalité que leurs cartes d'identité ou de crédit; j'aime les questions des questionnements, vols de papillon qui glissent dans l'air pour les femmes et les hommes qui entendent des voix, des appels, le chant de la vie, les paroles ailées des poètes, les murmures des amoureux.

La joie d'avoir des enfants qui tirent nos branches, mangent nos feuilles, nous forcent à écouter la leçon des saisons, à trouver chaque question, belle, neuve, chaque geste, premier, grave, chaque rire, fraîcheur de l'espèce, chaque peine, douleur de l'espèce. Les enfants nous poussent en avant, du côté des commencements, et nous savons qu'en avant il y a aussi notre mort plus proche. Nous dormons bien et mal, nos corps liés ensemble comme dans l'étreinte première, ou seuls sur des rochers imaginaires où nous nous inquiétons de l'avenir d'un grand adolescent et d'une jeune fille, mais je m'inquiète moins que leur maman à cause d'une foi naïve en la vie. Les enfants appellent l'amour si fort que pour eux nous le cherchons si par égarement nous l'avons perdu; la plupart du temps nous le trouvons caché sous nos larmes, nos phrases trop courtes pour saisir la vie.

J'ai dès ma jeunesse fait des plans pour ma vie. Ces plans ont été tantôt malmenés, tantôt bien menés. Puis j'ai cessé de faire des plans, je me suis engagé dans quelques chemins, ai goûté à la poussière du chemin, senti la légèreté de l'air qui m'embrassait. Voilà qu'aujourd'hui me sentant à la fois au milieu de ma vie et dépassé ce milieu, j'ai tenté de dire à quoi ressemble ma maison, combien de fois j'y suis né et mort, comment je continue d'y vivre et mourir, quelles sont mes préoccupations, mes préférences, dessiner la carte de mon labyrinthe. Je pourrais dire ce que Christie Malakite dit à Wolf Solent: «Je ne sais pas si ce sont mes lectures qui m'ont faite ce que je suis. Je suis très conventionnelle par certains côtés. Là vous vous trompez [il lui avait dit: «Je crois que les plus étonnantes perversités ne vous choqueraient pas le moins du monde!»]. Mais par d'autres, je suis... si vous voulez... de l'autre côté de la barrière.» D'autres fois je suis le père de La promenade au phare: «Il lisait un petit livre luisant à la reliure mouchetée comme un œuf de pluvier. De temps en temps, dans l'horrible suspension produite par ce calme, on le voyait tourner une page. Et James sentait que chaque page était tournée avec un geste particulier dirigé contre lui, soit que son père voulût affirmer son autorité, soit qu'il lui donnât un ordre, soit qu'il eût l'intention de se faire prendre en pitié; et tout le temps qu'il lisait et tournait l'une après l'autre ces petites pages, James ne cessait de redouter le moment où il lèverait les yeux et lui parlerait sèchement de quelque chose. Pourquoi traîne-t-on ici? Il poserait cette question-là ou une autre tout aussi déraisonnable.» «Cam était fatiguée de regarder la mer. [...] Son père lisait toujours; James le regardait et elle faisait de même. Ils juraient

de combattre la tyrannie jusqu'à la mort et il continuait à
lire sans se douter nullement de ce qu'ils pensaient. C'était
ainsi qu'il échappait, se dit-elle. Oui, avec son grand front
et son grand nez, et tenant son petit livre tacheté devant
lui, il échappait. On avait beau essayer de mettre la main
sur lui, il ouvrait les ailes comme un oiseau, il se laissait
emporter dans l'air pour aller se poser hors de portée quelque part, très loin, sur quelque souche désolée.» Si souvent
les parents n'entendent guère les enfants, il arrive aussi
que les enfants n'entendent guère leurs parents. James et
Cam ne connaissent pas leur père, ils imaginent un tyran
alors que c'est un poète déguisé en tyran: on est prêt à le
combattre, cela donne de l'assurance, une posture, se battre
quel plaisir! Je suis toujours étonné des parents qui se plai-
gnent de leurs enfants qui se battent entre eux ou les
contestent, ils ne savent donc rien du champ de bataille où
chaque individu doit gagner son individualité; le fils ou la
fille qui se bat contre la mère ou le père ne veut ni terrasser
ni être terrassé: qui grandit veut saluer et être salué.

Je vis avec une jeune femme attirée par la philosophie
et un vieil homme qui préfère les poèmes aux journaux, ces
deux-là que j'ai appris à aimer m'habitent depuis l'adolescence. Que cet homme-femme soit parfois tenté de se
donner en modèle à ses enfants, je peux en sourire parce
que je sais qu'ils sont autres et qu'ils ne pourront faire autrement que de répéter quelques-uns de ses gestes. Alors cet
homme reprend le livre qui est à côté de lui, regarde un peu
le ciel, sourit à sa femme et plonge dans son livre «il lisait
comme s'il eût été en train de guider quelque chose ou
d'amadouer un grand troupeau de moutons ou de monter
tout en haut d'un unique et étroit sentier». Il relève la tête
pour dire à sa femme qui lui sourit: «Je ne serai jamais
qu'une bestiole de la pensée et qu'un chicot de poésie.» Va-
t-il lui dire qu'il a vu cette phrase dans une lettre de Gaston Miron à Claude Haeffely. Oui. Puis ces vers de la
«Ballade des menus propos» de François Villon qui trottent

dans sa tête: «Je connois Mort qui tout consomme, / Je connois tout, fors que moi mêmes», et ce poème de Henri Meschonnic qu'il vient de lire: «ce qu'on ne peut pas nommer   porte tellement de noms / que le nôtre en est peut-être / un   comme une flamme dans les flammes / et on ne voit que le feu (Voyageurs de la voix)».

Table

à paraître dans cette collection

PRÉPARATIFS D'ÉCRITURE. PAPIERS D'ÉCOLIER 2, de Philippe Haeck
LE ROMAN NATIONAL, de Jacques Pelletier
LE ROMAN DU TERRITOIRE, de Bernard Proulx

CET OUVRAGE
COMPOSÉ EN PALATINO CORPS 12 SUR 14
A ÉTÉ ACHEVÉ D'IMPRIMER
LE DIX-SEPT OCTOBRE
MIL NEUF CENT QUATRE-VINGT-ONZE
PAR LES TRAVAILLEURS ET TRAVAILLEUSES
DES PRESSES DE L'IMPRIMERIE GAGNÉ
À LOUISEVILLE
POUR LE COMPTE DE
VLB ÉDITEUR.

IMPRIMÉ AU QUÉBEC (CANADA)